MARTIN ALLARD

NATUROPATHE

— DES —

STARS

Écrit avec la collaboration de Michèle Lemieux

*À ma mère **Jacqueline**, toujours à mes côtés.*
À ma famille et à mes ami(e)s qui se reconnaissent
sûrement et à qui je dois d'être ce que je suis devenu…

« L'HUMAIN EST PROGRAMMÉ
**MAIS DEMEURE TOUJOURS
REPROGRAMMABLE. »**

Remerciements

À Roger Léveillé; Linda et Jocelyn Hogue (Toitures Hogue);
Dan Bérubé (XPN Canada - Control Lab); Patrick Gosselin
(Vac Aero) et Maxime Vaes (Jardins Vaes), précieux partenaires,
commanditaires et amis qui ont appuyé mes démarches.

À Chantal Lacroix qui a cru en moi et en ce beau projet.
À Éric Belley pour sa vision, ses prédictions et ses conseils.

Aux artistes qui m'ont accordé leur confiance.

Conception: Chantal Lacroix et Martin Allard
Rédaction: Michèle Lemieux
Coordination: Daniel Daignault
Direction artistique et infographie: TVA Accès
Photographie et stylisme culinaire: Sophie Carrière
Nutrition: Martin Allard
Valeurs nutritives des recettes: Josée Deslisle, technicienne en nutrition
Préparation des recettes: Amy Dramilarakis de L'Artichaud
Maquillage/coiffure: Richard Bouthillier

ISBN: 978-2-9814273-2-8
Dépôt légal - Bibliothèque et Archives nationales du Québec, 2014
Dépôt légal - Bibliothèque et Archives Canada, 4e trimestre 2014
Distributeur: Les Éditions Flammarion ltée

Martin Allard est habillé par la boutique Markus pour hommes. **MARKUS**
HOMME & FEMME

AVIS AUX LECTEURS

Ce livre ne comporte pas d'avis médicaux. Nous vous
suggérons de consulter un professionnel de la santé pour
des conseils spécifiques à votre condition.

NOTE

En tant que naturopathe, Martin Allard N.D.(Phy.), Phy.A.
est lié envers ses clients par le secret professionnel. Les
témoignages recueillis dans ce livre ont été approuvés par
les personnalités qui les ont livrés et sont divulgués avec
leur accord.

TABLE DES MATIÈRES

Vous souhaitez augmenter votre vitalité, retrouver une meilleure énergie, maîtriser votre anxiété, régler vos problèmes de sommeil, être en mesure de faire face aux situations stressantes ou encore perdre du poids sans avoir à compter les calories ?

Ce livre est pour vous !

C'est dans le cadre de l'émission *Le Parcours* que j'ai fait la connaissance de Martin Allard. Quelle que soit la problématique, il amène ceux et celles qui le consultent au sommet de leur condition physique et mentale en se concentrant essentiellement sur le contenu de leur assiette.

Grâce à une approche qui le distingue et à ses conseils avisés, sa réputation s'est solidement établie, et il est vite devenu « le naturopathe des stars ».

Dans notre société où les exigences sont de plus en plus élevées, nous sommes soumis à des horaires de plus en plus contraignants, et parfois même irréguliers. Nos responsabilités familiales et professionnelles s'accroissent. Les attentes créent de plus en plus de pression et des situations toujours plus stressantes. À la moindre défaillance, on nous montre la porte. Certes, nous performons davantage. Mais en contrepartie, ce sont souvent nos heures de sommeil qui sont réduites et des repas pourtant essentiels qui sont escamotés, faute de temps. Le stress laisse son empreinte partout et l'anxiété nous guette.

Pour faire face à ce rythme effréné auquel nul n'échappe, Martin suggère de revenir à la base en offrant à notre corps un carburant de qualité. Son expertise en nutrition lui permet d'élaborer une stratégie alimentaire qui fait perdre du gras, génère de l'énergie, permet d'être plus performant, plus résistant au stress et de jouir d'une meilleure santé globale. Son approche est simple, mais d'une redoutable efficacité.

Un entraînement rigoureux, même pratiqué sur une longue période, ne permet pas d'atteindre ses objectifs en matière de perte de poids s'il n'est pas jumelé à une stratégie alimentaire adéquate. C'est d'abord dans l'assiette que le chemin de la forme et de la santé peut être retrouvé. Le discours de Martin Allard est différent de tout ce qu'on entend actuellement, et c'est avec beaucoup de conviction qu'il le partage. Son passé de culturiste et ses solides connaissances dans le domaine de la nutrition font de lui un conseiller de choix.

Ce livre regorge de témoignages de personnalités connues qui ont bénéficié des conseils de Martin pour perdre du poids ou pour maximiser leur potentiel. Il contient l'essentiel de sa méthode. Que ceux qui souhaitent prendre leur santé en main y puisent l'élément déclencheur ou l'inspiration nécessaire pour mettre en pratique cette approche particulièrement effective.

— *Chantal Lacroix* —

Le parcours de Martin Allard

Depuis plus de 20 ans, Martin Allard œuvre dans le domaine du mieux-être et de la santé. Naturopathe spécialisé en phytothérapie attesté par l'ANNSPQ (Association des naturopathes et naturothérapeutes spécialisés en phytothérapie du Québec) depuis 1994 et président membre du comité de discipline de cette même association, il est propriétaire et fondateur d'une clinique de nutrition de même que conseiller et consultant en nutrition, spécialisé en perte de poids.

Architecture et santé

Passionné à la fois par l'art architectural et la santé, il a entrepris une formation en architecture tout en complétant parallèlement des cours du soir en naturopathie et en phytothérapie, une démarche que l'on considérait plutôt marginale à l'époque. Il a été le plus jeune phytothérapeute diplômé du Québec.

Au terme de sa première année de travail en architecture, il s'est rendu compte que son engouement pour la santé le motivait davantage que la construction de bâtiments. Et comme il le dit si bien, la construction du corps humain demeure encore aujourd'hui infiniment plus intéressante pour lui que celle des bâtiments ! L'avenue professionnelle à emprunter s'est imposée d'elle-même.

Un attrait pour les affaires

C'est en ouvrant une boutique d'alimentation destinée aux sportifs qu'il a réalisé sa première incursion dans le monde des affaires. Par la suite, il a géré son propre centre de conditionnement physique, *Concept santé Martin Allard*, avant de revendre son entreprise après quelques années. Prévoyant s'accorder quelques mois sabbatiques, il a été happé par un nouveau défi qui allait encore une fois l'amener à élargir ses horizons. Une firme de suppléments alimentaires sportifs et thérapeutiques lui a offert un poste de consultant technique.

« SON EXPÉRIENCE LUI PERMET DE COMPRENDRE CE QUE VIVENT CEUX ET CELLES QUI LE CONSULTENT. »

Pendant cinq années, il a été le lien privilégié entre les médecins, les pharmaciens et les techniciens de laboratoire dont il a en quelque sorte assumé la formation. Cette expérience lui a été d'une grande utilité puisqu'elle lui a permis d'approfondir ses connaissances dans le domaine de la supplémentation alimentaire à titre de manufacturier.

Le Physimax Pro Gym de Montréal

Un autre défi allait lui permettre encore une fois d'ajouter des cordes à son arc et l'amener à exploiter d'autres facettes du vaste monde de la santé. Le renommé *Physimax Pro Gym de Montréal* a fait appel à ses services afin de superviser son centre de nutrition, et d'agir à titre de consultant.

Ses conseils avisés ont contribué à élargir sa réputation et, devant la demande croissante, à l'amener à faire le grand saut : il a ouvert sa propre clinique de nutrition, *Clinique Martin Allard Nutrition*, qu'il dirige toujours.

Au service de sa clientèle

Depuis une dizaine d'années, Martin Allard reçoit sur rendez-vous et conseille ses clients afin de les aider à améliorer leurs performances de même que leur qualité de vie. Sa clientèle variée est composée de professionnels de différents milieux : des travailleurs, des personnalités sportives, artistiques ou des gens d'affaires.

Il s'est donné pour mission de conseiller, de diriger et de soutenir sa clientèle pour atteindre des objectifs relatifs à l'application d'une stratégie alimentaire. On le consulte essentiellement pour la perte de poids, et les résultats parlent d'eux-mêmes.

DES TITRES EN CULTURISME

En parallèle à ses activités professionnelles, il a développé un profond intérêt pour le culturisme, domaine où il a excellé en remportant plusieurs titres prestigieux. C'est à l'âge de 20 ans que tout a commencé alors qu'avec un ami, il s'était mis à l'entraînement sans se douter des accomplissements qui l'attendaient au tournant. C'est dans un sous-sol qu'ils avaient installé leur vieil équipement York payé 160 $ à même leurs économies durement gagnées. À l'époque du Cégep, il s'est inscrit dans un véritable gym où il a approfondi sa passion pour l'entraînement. Déjà, on lui reconnaissait des aptitudes pour la musculation.

En 1997, à 27 ans, il a participé au concours Monsieur Montréal où il a remporté la 1re position chez les poids moyens. Il a ensuite poursuivi son entraînement sans toutefois participer à des compétitions, se consacrant à son travail de tous les jours. Roger Léveillé du *Physimax Pro Gym de Montréal* lui a suggéré d'effectuer un retour à la compétition. Convaincu du talent de culturiste de Martin, il a proposé de le commanditer.

En 2004, il retournait devant le jury de *Monsieur Montréal* qui lui attribuait la première place, toutes catégories. Mieux encore : le jour même, il participait aussi au Championnat provincial et remportait la première place, toutes catégories.

Champion canadien

Dès 2005, Martin Allard a fait son entrée sur la scène nationale en participant à des compétitions de niveau canadien dans la catégorie poids mi-lourd.

Alors qu'il se mesurait aux meilleurs culturistes du pays, sa feuille de route est demeurée tout aussi impressionnante : troisième dès la première année, il a terminé deuxième la seconde année.

Il a remporté haut la main la première place lors de sa troisième compétition.

Après une année sabbatique, il a effectué un retour au niveau national dans deux catégories, Senior et Maître, cette seconde catégorie s'adressant aux hommes de 40 ans et plus. Ce jour-là, il a remporté la première position lors des deux championnats canadiens.

Parmi ses accomplissements, il peut être fier d'avoir obtenu sa carte professionnelle de l'International Federation of Bodybuilding (IFBB) qui lui a permis d'accéder à la même association professionnelle qu'Arnold Schwarzenegger.

Avec tous ces succès obtenus, Martin avait atteint ses objectifs, et le sentiment de s'être pleinement accompli. Il a alors annoncé que, pour lui, l'heure de la retraite avait sonné...

Une promesse faite à lui-même

À 20 ans, avec la détermination qui est la sienne, il s'est engagé à aller jusqu'au bout de ses capacités tout en se faisant la promesse de se retirer à 40 ans, quels que soient les résultats et les succès obtenus. Le monde du bodybuilding en est un difficile à bien des égards, tant sur le plan physique que psychologique.

Au tournant de la quarantaine, en raison de ses victoires personnelles et des titres remportés, il pouvait respecter sa parole et se retirer. Malgré les nombreuses sollicitations qui lui étaient faites, il a définitivement tourné la page et quitté ce milieu. S'il a continué à s'entraîner et le fait encore aujourd'hui, c'est essentiellement pour son plaisir et sa santé.

Son propre laboratoire

Toutes ces années d'entraînement et sa discipline alimentaire lui auront permis de mettre en pratique les connaissances qu'il avait acquises et de faire ses propres expériences. Il a donc vérifié sur lui-même des applications extrêmes sur le plan diététique de même que les courants émergents aujourd'hui approuvés par les nutritionnistes et la communauté médicale. Dès le début de sa carrière, Martin était considéré comme un précurseur dans son domaine. Depuis une dizaine d'années, c'est auprès de sa clientèle qu'il utilise ces approches maintenant reconnues. De la même manière, il propose à ses clients des produits dont on admet aujourd'hui l'efficacité et qu'il utilise pour la plupart depuis déjà 10 et même 15 ans !

Grâce à ses conseils judicieux, ceux-ci atteignent leurs objectifs, que ce soit en matière de perte de poids, de gestion du stress ou d'une hausse du niveau d'énergie.

Son expérience lui permet de comprendre ce que vivent ceux et celles qui le consultent. Lorsqu'un d'entre eux lui confie avoir de la difficulté à suivre une diète, il sait de quoi il s'agit. Il est humblement en mesure de saisir les difficultés inhérentes puisqu'il les a lui-même traversées pendant 20 ans.

LORSQU'UN ATHLÈTE, QUEL QU'IL SOIT, ABANDONNE SON SPORT,

LA RÉUSSITE DE SA TRANSITION RÉSIDE DANS L'ÉMERGENCE D'UN AUTRE PROJET EMBALLANT.

Réussir sa transition

Tous ceux qui ont réussi à faire le pont entre leur carrière d'athlète et leur nouveau mandat ont trouvé une satisfaction à relever un défi qui les enthousiasmait.

Pour Martin Allard, ce sont les artistes au sein de sa clientèle et les médias qui lui ont permis de faire le deuil de sa carrière sportive pour amorcer une carrière à la télé et à la radio. La reconnaissance qu'il avait ressentie dans son sport, c'est dans ce nouveau défi qu'il la retrouve.

C'est ce qui lui a permis d'assurer une belle transition entre deux carrières, de se réaliser autrement de manière tout aussi satisfaisante et de maintenir un bel équilibre psychique. Son désir de performance était comblé !

Ces artistes qui lui font confiance

Ce sont les personnalités qui l'ont consulté et qui ont partagé leurs résultats qui lui ont permis de se tailler une place de choix auprès de la communauté artistique et d'être sollicité par les médias.

Et parce qu'il est présent dans les médias, les artistes le consultent. Ce sont des hommes tels que François Morency, Charles Lafortune et Claude Legault qui ont semé ces graines et contribué à sa réputation.

De fil en aiguille, il a reçu en consultation une foule de personnalités telles que :

Laurent Paquin, Anaïs Favron, Patrick Bruel, Éric Nolin, Sophie Prégent, Michel Charrette, Adib Alkhalidey, Salomé Corbo, Catherine Lachance, Denis Fortin, Mario Tessier, Maxime Landry, Luc Cauchon, Vincent Gratton, Serge Postigo, Sébastien Benoît, Marie-Soleil Dion, Éric Lapointe, Jean-Marc Couture, Marc Dupré, Sylvain Larocque, Mario Pelchat, Marie-Laurence Moreau, Roger Larue, Gino Chouinard, Michel Barrette, Louis Champagne, Pascal Bariault, François Bellefeuille, Billy Tellier, Isabelle Boulay, Emmanuel Bilodeau, Anick Dumontet, Alain Choquette et Hélène Bourgeois-Leclerc.

De beaux projets

Depuis, de beaux projets se sont greffés à ses activités régulières et son CV s'est étoffé à la télé et à la radio. Il participe régulièrement à différents projets médiatiques. Il a été notamment chroniqueur invité en nutrition, santé et perte de poids à l'émission *Salut, Bonjour!* présentée sur le réseau TVA.

Il est chroniqueur régulier sur les ondes de Radio NRJ 94,3 dans le cadre de l'émission *NRJ le matin* animée par François Morency, un mandat qui s'inscrit dans une belle continuité puisqu'il était auparavant chroniqueur invité à l'émission *Midi Morency* sur les ondes de CKOI. À l'hiver 2012-2013, il a travaillé comme coach en nutrition à l'émission *Le Parcours* animée par Chantal Lacroix, produite par Les Productions Kenya et diffusée en 2013 sur le réseau Moi & Cie. Outre ses activités médiatiques, Martin Allard est aussi un conférencier apprécié.

Le livre que vous tenez entre vos mains, publié aux Éditions Lacroix, est un autre projet enthousiasmant qu'il avait à cœur de réaliser parce qu'il lui permet de communiquer sa passion. Tous ses engagements ont un dénominateur commun : offrir et partager avec les gens le meilleur de ses connaissances en nutrition.

L'approche de Martin Allard est différente et novatrice. Dans un langage simple et accessible, il répond aux questionnements et aux préoccupations de ses auditeurs qui reconnaissent en lui un vulgarisateur de premier plan.

www.cliniquemartinallard.com

CHAPITRE 1

CHARLES LAFORTUNE

Faire face aux situations de grand stress

Charles Lafortune est l'homme des projets rassembleurs à forte cote d'écoute. Avec l'émission *La Voix*, il a rejoint un auditoire de plus de 2,5 millions de téléspectateurs. Il travaille souvent dans le cadre d'émissions en direct. Si pour les artistes ce genre de situation est extrêmement stimulant, c'est aussi particulièrement stressant !

J'ai fait la connaissance de Charles il y a quelques années, mais c'est dans un contexte singulier que je l'ai revu. Le jeudi soir précédent le *Gala Artis* 2011, j'ai reçu un appel d'urgence du producteur Éric Belley alors que j'étais en ondes à l'émission *Midi Morency*. Il discernait chez Charles des symptômes de fatigue physiologique : baîllements, problèmes de concentration, blancs de mémoire, etc. Le leader de la soirée se doit d'être au top pour animer le plus prestigieux gala au Québec. À ce grand défi professionnel s'ajoutaient différents stress personnels sur lesquels Charles n'avait pas de prise. En tant que père d'un enfant autiste, l'animateur doit régulièrement faire face à des impondérables et au manque de sommeil. Cette surcharge de stress est courante chez les artistes, mais aussi chez les gens en général. Plusieurs cumulent deux emplois, multiplient les responsabilités et gèrent une vie familiale qui n'est pas toujours de tout repos. Tous ces éléments contribuent à menacer l'équilibre. Avec Charles, le temps était compté : j'avais trois jours pour l'aider à reprendre le plein contrôle et le ramener à son plus haut potentiel. Je l'ai pris en charge comme on le fait avec un boxeur et je l'ai suivi sans relâche, jusqu'à ce qu'il ressorte du ring victorieux. C'était le seul scénario envisageable. Qu'on se rappelle sa performance le soir du gala : elle est demeurée mémorable !

— *Martin* —

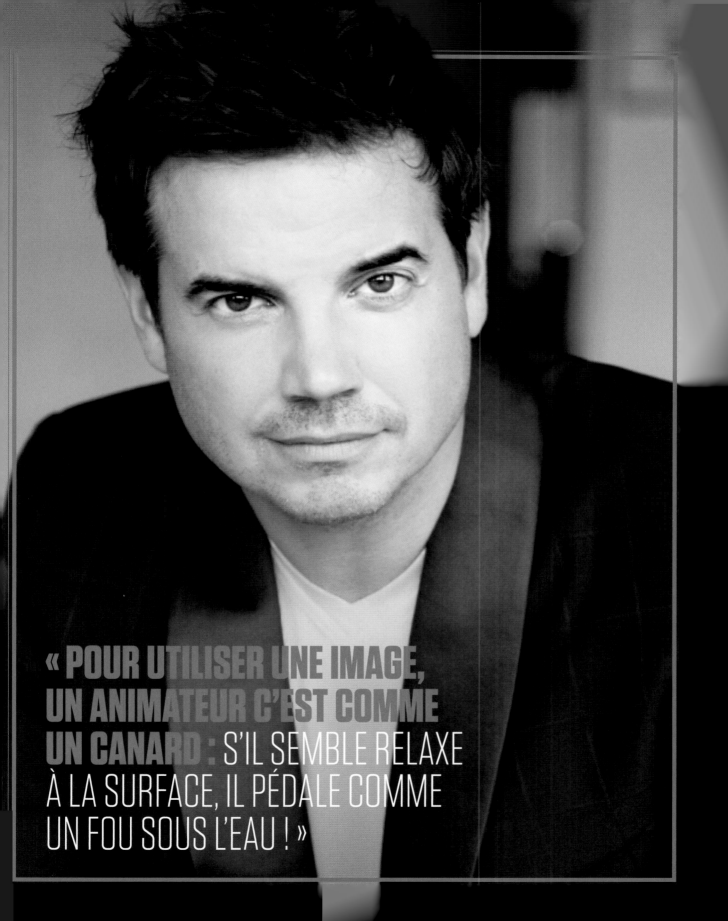

« POUR UTILISER UNE IMAGE, UN ANIMATEUR C'EST COMME UN CANARD : S'IL SEMBLE RELAXE À LA SURFACE, IL PÉDALE COMME UN FOU SOUS L'EAU ! »

Témoignage de Charles Lafortune

Lorsque le stress menace l'équilibre

C'est en coulisses du *Gala Artis* que Martin m'a suivi au printemps 2011. Aux tâches professionnelles s'ajoutaient plusieurs enjeux personnels. En effet, pour mon fils, le sommeil est parfois difficile à trouver et/ou à maintenir, et c'est toujours une situation impossible à prévoir. Durant cette période, Mathis éprouvait de la difficulté à dormir et, par le fait même, moi aussi. La nuit précédant le gala, j'avais dormi à peine 3 heures... Je sais faire face au manque de sommeil, comme si mon corps s'y était habitué. J'ai la chance de pouvoir m'endormir sur-le-champ... mais ces nuits écourtées ne sont pas sans conséquence. Le week-end du gala, en raison de la pression conjuguée au manque de sommeil, ma glycémie avait atteint des sommets : elle était à 13 alors qu'elle aurait dû se situer entre 5 et 6. Le rôle de l'adrénaline est extrêmement important dans ce genre de situation. L'animation d'un gala de prestige exige une forme physique maximale. Par exemple, pendant l'événement, on a établi que mes pulsations cardiaques se maintenaient entre 110 et 112 battements par minute alors que, ordinairement, elles se stabilisent à 68 battements par minute. Mon cœur battait à vive allure, comme si j'étais en train de faire du cardio... mais je continuais de sourire, en parfaite maîtrise de la situation !

Un épicurien avoué

Je suis un épicurien dans l'âme. J'aime bien manger et je dirais même que je peux avoir tendance à manger mes émotions. Même si je n'ai pas de penchant pour le «junk food», en période de stress, je peux facilement trop manger. Sans avoir éprouvé les symptômes de la faim, je peux ouvrir le frigo ou encore, fouiller dans le garde-manger pour apaiser ma fringale. À cause de mes horaires, je mangeais à des heures irrégulières et, parfois même, je sautais un repas. Si j'avais une réunion tôt le matin, je pouvais prendre un café et quitter la maison sans même avoir déjeuné. Je suis coupable de plusieurs mauvais comportements sur le plan alimentaire !

Pas étonnant que j'aie de la difficulté à contrôler ma glycémie. Quand on travaille fort, il est essentiel d'avoir un bon carburant pour pouvoir déployer une énergie maximale. Pour faire face au stress, il faut aussi se sentir à son apogée.

EFFETS CONCRETS DES PÉRIODES DE GRAND STRESS

Ces périodes de grand stress suscitaient divers symptômes chez moi : ulcères des gencives, eczéma... Ma concentration pouvait aussi être affectée, moi qui ai habituellement une capacité de focaliser particulièrement grande. Mon travail fait en sorte que je suis à l'écoute de l'autre, empathique, «groundé». Je n'ai jamais l'air nerveux, stressé ou en déséquilibre... ça coule de source. Alors pour utiliser une image, un animateur c'est comme un canard : s'il semble relaxe à la surface, il pédale comme un fou sous l'eau ! Il faut constamment avoir l'air en parfait contrôle, avoir de la répartie et démontrer de la vivacité d'esprit. Mais pour ce faire, il faut nécessairement avoir adopté un bon mode de vie.

© Éric Myre

Un « rat de laboratoire »

Dans le contexte du gala, Martin était heureux de travailler de près avec quelqu'un qui traversait une période de grand stress et devait malgré tout être à la hauteur des attentes du public. Il voulait notamment observer l'impact des hormones de stress comme le cortisol et l'adrénaline, connaître la cadence de mes battements cardiaques de même que le taux d'oxygène dans mon corps afin de mesurer l'ampleur du stress vécu dans l'exercice de mon travail.* C'était l'occasion rêvée pour vérifier comment je fonctionne sur le plan métabolique durant des périodes d'immense stress. J'étais en quelque sorte son « rat de laboratoire » ! Les sportifs bénéficient de ces outils qui peuvent aussi s'avérer utiles pour les artistes. Pour maintenir une concentration optimale, il est nécessaire d'établir un plan de match bien précis : savoir quoi manger et à quel moment. En me suivant de près, Martin a pu appliquer un protocole de suppléments alimentaires afin de me permettre de travailler sans relâche, sous tension, sans bénéficier d'un seul jour de congé pour une aussi longue période qu'un mois.

* Les méthodes d'évaluation et d'observation ont été réalisées grâce à un glucomètre et à un oxymètre et n'ont pas fait office de diagnostic ou d'interprétation de nature médicale.

Des conseils pratiques

Grâce aux conseils de Martin, j'ai senti une différence, notamment une meilleure capacité à absorber le stress et à le maîtriser. Ses conseils me servent dans la vie de tous les jours, et c'est un mode de vie à maintenir à long terme puisqu'il donne des résultats. Toutefois, ma nature épicurienne me fait décrocher occasionnellement. Mais, Martin est toujours là pour me rappeler à l'ordre. Je me laisse aller puis je me reprends en main, comme si j'avais besoin de ces répits. Lorsque mes vêtements sont trop serrés, je sais qu'il est temps de réagir. Pour *La Voix*, par exemple, on me fait des vêtements sur mesure : alors je sais toujours exactement où j'en suis… À la maison, j'ai une balance intelligente programmée pour envoyer un courriel à un professionnel de la santé ou à un entraîneur. Dans mon cas, c'est Martin qui reçoit ces informations. Il sait toujours combien je pèse et je dois en convenir… ça me tient en laisse. Parfois, il me donne une certaine marge de manœuvre, mais lorsqu'il voit mon poids grimper, il m'envoie un avertissement pour me rappeler qu'il est temps que je me reprenne en main. Avec Martin, j'ai toujours l'impression d'être son seul client et que l'atteinte de mon objectif lui tient à cœur. Il m'aide aussi à fixer des objectifs réalistes, qui sont à ma portée et qui contribuent à une meilleure santé.

RÉCONFORTANT SUR LE COUP, LE « COMFORT FOOD » NOUS AMÈNE INVARIABLEMENT À « CRASHER » OU À NOUS ENDORMIR.

Le « comfort food »

L'une des grandes difficultés pour moi est de résister au « comfort food ». Comme j'ai tendance à avoir de la difficulté à métaboliser les hydrates de carbone (pain, pâtes, patates), ça me fait prendre du poids. On remarquera que le pâté chinois, le riz ou les pâtes procurent un « rush » d'insuline qui augmente la glycémie. Malheureusement, ce « high » précède toujours le « down ». Réconfortant sur le coup, le « comfort food » nous amène invariablement à « crasher » ou à nous endormir. J'essaie de maintenir deux à trois repas permissifs par semaine. Je peux alors manger tout ce que je veux, qu'il s'agisse de sushis ou de pâtes. J'aime aussi boire du vin et inviter des amis à en déguster. Le reste du temps, je suis ma stratégie alimentaire à la lettre; je ne bois pas d'alcool et ne touche pas aux desserts.

Entre le mode spartiate et le Club Med

Quand je fais exactement ce que Martin me suggère, ça fonctionne: je conserve mon poids idéal, j'ai plus d'énergie et ma capacité de concentration est à son apogée. Je sais ce que je dois mettre dans mon assiette et je constate que ce que je mange a une grande influence sur moi. Mais lorsque j'ai terminé un projet avec succès, j'ai besoin de me récompenser. Si je ne suis pas les conseils de Martin, ce n'est pas parce que je ne sais pas quoi faire… c'est plutôt imputable à de la mauvaise volonté! Et si je reprends le droit chemin, je retrouve ma forme maximale en peu de temps. Au niveau de mon mode de vie, j'alterne en permanence entre le mode spartiate et le Club Med!

Le conseil de Charles

Pour maintenir sa stratégie alimentaire, rien de mieux que la planification. On peut préparer ses collations en conséquence. Au resto, on peut effectuer les meilleurs choix qui soient, c'est-à-dire la viande et les légumes à profusion, mais sans féculents. Ça demeure un défi et cette rigueur peut être difficile à maintenir, sauf que le jeu en vaut la chandelle.

Une réflexion

J'ai remarqué que souvent les gens n'aiment pas qu'on agisse différemment d'eux. Ils peuvent insister pour qu'on prenne un verre. Juste un. Il faut donc une grande détermination pour demeurer imperméable à ce genre de pression… Là encore, ça vaut le coup.

SOMMEIL ET STABILITÉ DU POIDS

On reconnaît aujourd'hui que le sommeil est essentiel à la perte de poids et qu'il faut dormir pour maintenir son poids santé. Plusieurs études ont démontré qu'en ayant la même alimentation, celui qui dort peu aura plus tendance à souffrir d'embonpoint que celui qui dort suffisamment.

INDICE GLUCIDES

LA RECETTE DE CHARLES

FILET MIGNON SUR CHAMPIGNONS PORTOBELLO

PORTIONS 2

INGRÉDIENTS

2 steaks de filet mignon (500 g)
2 gros champignons portobello
2 c. à soupe d'huile d'olive
2 c. à soupe de noix de pin
½ gousse d'ail, hachée
2 c. à soupe de vinaigre balsamique
2 poivrons rouges ou jaunes,
coupés en lanières
Sel et poivre, au goût

Sauce
1 tasse de yogourt grec 0 % m.g.
½ c. à thé d'origan séché
½ c. à thé de basilic séché
¼ c. à thé de poudre d'oignon
⅛ c. à thé de sel

PRÉPARATION

La sauce
1. Mélangez bien tous les ingrédients dans un petit bol. Réservez.

Le BBQ
2. Enlevez les pieds des champignons portobello et ne conservez que la tête. Dans un plat, mettez l'huile, les noix de pin, l'ail et le vinaigre balsamique et ajoutez les têtes de champignons, lamelles vers le haut. Laissez reposer.
3. Cuire les filets mignons au goût. Entre-temps, déposez les têtes de champignons et les poivrons sur la grille la plus élevée du barbecue et laissez cuire jusqu'à ce qu'ils soient tendres.
4. Salez et poivrez.
5. Servez avec la sauce au yogourt.

VALEUR NUTRITIVE PAR PORTION		
Calories	→	553,5
Matières grasses	→	32,3 g
Glucides	→	19,9 g
Protéines	→	44,3 g

Les conseils de Martin

Le plan de match pour Charles

En période de grand stress, il est indispensable de prendre le contrôle de son alimentation et de respecter une stratégie effective pour faire face aux facteurs qui risquent de nous déstabiliser. Dans le cas de Charles, un épicurien et un grand mangeur exposé à une surcharge de stress, l'enjeu était de le rendre plus résistant et performant. Voici comment j'ai procédé pour agir sur trois niveaux :

1 Il fallait stabiliser sa glycémie et éviter les périodes de travail trop longues. Je lui ai proposé de faire des pauses régulièrement durant les répétitions afin de collationner. Toutes les demi-heures, il prenait sa lecture pour en venir à stabiliser son taux de glycémie le plus possible. Cette prise de glycémie visait deux objectifs majeurs. Le premier : éviter une hausse et une baisse du glucose sanguin parce qu'elles provoquent des rages de sucre et des épisodes de gourmandise incontrôlables. C'est alors plus difficile de maintenir une stratégie alimentaire sans fléchir. Le second visait la perte ou le maintien du poids et le gain énergétique puisque ces deux objectifs sont pratiquement impossibles à atteindre si la glycémie n'est pas stable. Lorsque Charles voit poindre une période de grand stress, il se prépare à y faire face de manière adéquate. Pendant 4 à 6 semaines avant l'événement, nous travaillons ensemble afin de stabiliser sa glycémie et de l'aider à respecter son plan alimentaire. Lorsque le corps n'a pas à gérer les fluctuations d'énergie, il peut la déployer d'une manière plus effective.

2 Il fallait s'assurer que son système immunitaire fonctionne de manière optimale. Je l'ai donc stimulé en partie par le biais de son alimentation, mais aussi grâce à une supplémentation adéquate qui regroupait notamment des Oméga-3, un complément de multivitamines et minéraux, des antioxydants et des plantes aux propriétés immunostimulantes.

« Me voici en train d'observer certains paramètres biologiques de Charles Lafortune, lequel me transmet régulièrement sa glycémie par le biais de son glucomètre. J'essaie de maintenir sa moyenne entre 5,0 et 7,0 mmol/L pendant son travail sur scène... Je peux ainsi observer l'influence des hormones de stress sur sa glycémie, tels l'adrénaline et le cortisol.

Je peux aussi modifier son alimentation en ce sens advenant une glycémie trop basse. Parfois en situation de baisse d'énergie et d'une glycémie faible (en deçà de 4,0 mmol/L), je demande à Charles de consommer un fruit, jus de fruits ou autres aliments favorisant une légère hausse de ses niveaux énergétiques... sans susciter l'hyperglycémie. »

3 Il fallait aussi stabiliser les paramètres cérébraux pour gérer l'anxiété et lui permettre de récupérer grâce à un sommeil vraiment réparateur. J'ai entre autres utilisé des suppléments et des complexes de plantes phyto-thérapiques à base de dopamine et de sérotonine qui permettent de mieux dormir durant la nuit. Ces plantes ont un pouvoir anxiolitique naturel et favorisent un sommeil optimal.

LA LECTURE DE LA GLYCÉMIE

Ceux qui s'intéressent à la question pourront mesurer leur glycémie grâce à un glucomètre, un instrument qu'on peut se procurer facilement en pharmacie. Une glycémie normale doit se situer entre 4,4 et 6,6 mmol par litre. Sous la barre du 5, on doit faire en sorte d'augmenter la glycémie en prenant une collation modérée en glucides tel un fruit frais. Une baisse d'énergie est toujours produite en réaction à une hyperglycémie suivie d'une hypoglycémie causée par une alimentation inappropriée, c'est-à-dire trop riche en glucides (pain, pâtes, patates, desserts, produits raffinés, boissons gazeuses).

Les fluctuations glycémiques

À cause d'une alimentation dénaturée, la plupart des gens souffrent de problèmes de glycémie, c'est-à-dire qu'ils connaissent une fluctuation de leur taux de sucre ou de glucose dans le sang. Dans le contexte alimentaire qui prévaut depuis quelques décennies, nous sommes confrontés à deux problématiques majeures.

La première : les additifs alimentaires qu'on retrouve dans les aliments transformés semblent être responsables d'environ 80 % des pathologies actuelles, dont le diabète.

La seconde : à mon avis, l'information concernant les quatre groupes alimentaires est désuète. Rappelons que ces groupes ont été établis il y a plus de 60 ans, dans des conditions fort différentes de celles qui prévalent de nos jours. En effet, la transformation alimentaire n'était pas aussi présente à l'époque. Un pain était alors un produit maison cuisiné à base de trois ingrédients : eau, farine et levure. Aujourd'hui, un pain comporte malheureusement une liste d'ingrédients fort élaborée ! À cette époque, manger du pain pouvait effectivement stabiliser et corriger la glycémie efficacement, ce qui n'est plus le cas de nos jours. Ces concepts désuets devraient donc être révisés pour ne pas dire modernisés en tenant compte des enjeux actuels. La transformation des céréales est telle que le corps ne répond plus de la même manière à l'ingestion de ces dernières. On ne peut donc plus concevoir les groupes alimentaires de la même manière et appliquer ou transposer de vieux concepts à notre réalité contemporaine. C'est essentiellement pour cette raison que je propose généralement de diminuer l'apport en glucides de type céréaliers, sachant que de toute manière, par le biais de ce que j'appelle les « repas permissifs », on pourra tout de même en consommer, mais en quantité modérée.

Pourquoi stabiliser sa glycémie ?

La glycémie est le paramètre le plus important en lien avec la perte de poids et l'augmentation du niveau d'énergie. Sans stabilisation de la glycémie, toute tentative pour maigrir ne sera que temporaire et les résultats, qu'à court terme. Pour y arriver, il faut diminuer son apport en glucides.

LE SAVIEZ-VOUS ?
LA FATIGUE EST SOUVENT ASSOCIÉE À UN MANQUE DE NUTRIMENTS CELLULAIRES, C'EST-À-DIRE DE VITAMINES ET DE MINÉRAUX.

À retenir

On recommande aux femmes de consommer entre 100 et 125 grammes de glucides par jour et aux hommes, entre 125 et 150 grammes de glucides quotidiennement.

Les bienfaits des collations

Les collations permettent principalement de diminuer la charge glycémique lors des trois repas. Au déjeuner, au dîner et au souper, on se contente d'une assiette composée de protéines et de légumes afin d'éviter une hausse inutile de la glycémie. Pour le maintien du niveau de glucose entre les repas, des collations judicieusement choisies permettront de régulariser le taux de sucre dans le sang. Les collations comportent plusieurs avantages: elles permettent de maintenir l'énergie, de régulariser la glycémie, d'éviter les rages alimentaires et les coups de barre en fin de journée.

Quelques types de collations santé à base de fruits

À cause de son contenu en glucides, le fruit est un aliment idéal pour stabiliser la glycémie. En prime, il contient des fibres, des vitamines, des minéraux et des antioxydants qui jouent un rôle synergique (travail d'équipe) pour stabiliser la glycémie. Aucun aliment ne peut le faire aussi bien qu'un fruit. On l'accompagne idéalement d'un corps gras. Voici quelques exemples:
→ Un fruit au choix avec quelques noix ou amandes
→ Un fruit au choix avec un petit morceau de fromage
→ Un fruit au choix avec 3 ou 4 c. à soupe de yogourt grec nature

Mieux vaut prévenir que guérir

Prévoir des collations santé pour la journée permet d'éviter de se précipiter sur des collations «industrielles» riches en sucres et en graisses qui créeront assurément une fluctuation glycémique, sans parler des désordres métaboliques tels que la mauvaise humeur, la fatigue, l'hypertension et autres problèmes de santé.

FAIRE FACE À LA MULTITUDE DE RESPONSABILITÉS

Avec le rythme de vie que nous menons et le cumul des fonctions de travailleur, parent, conjoint, etc., toute obligation additionnelle risque parfois de menacer notre équilibre. Que ce soit du temps supplémentaire au travail ou la gestion d'un agenda familial déjà chargé, stabiliser sa glycémie devient impératif pour faire face à tout défi qui s'ajoute. Sinon, il sera quasi impossible d'assumer adéquatement une responsabilité supplémentaire qui se greffe à un horaire déjà très exigeant.

Le cycle incessant des signaux de faim

Succomber à la surconsommation de glucides omniprésents dans l'alimentation transformée ne peut qu'envenimer la situation. Le corps enverra alors des signaux de faim pour tenter de stabiliser son énergie, espérant que de bons choix soient effectués pour lui permettre de faire face à cette situation exigeante. Si tel n'est pas le cas, de nouveaux signaux de faim seront lancés. Et ainsi de suite. Donc, moins on s'alimente de manière adéquate, plus le corps exige que nous mangions, et ce, dans l'espoir de voir ses besoins nutritionnels cellulaires comblés. Cette spirale n'a pas de fin. À cette étape, on devient moins performant, on diminue considérablement nos niveaux de production et on finit par croire qu'on a un urgent besoin de vacances… En fait, ce n'est pas tant de vacances dont le corps a besoin, mais de bons matériaux, de bons nutriments cellulaires.

À méditer

Les sucres attirent les sucres. La bonne bouffe attire la bonne bouffe. En vacances, on peut s'autoriser un certain relâchement, mais le reste du temps, une nourriture saine assurera un meilleur niveau d'énergie et, par surcroît, la réussite de nos projets de vie. Même en vacances, je suggère à mes clients de ne pas laisser tomber complètement leur stratégie alimentaire. Au contraire, c'est une période idéale pour donner au corps tous les nutriments dont il a besoin. Cela permet de mieux profiter de ce répit, de mieux récupérer et de revenir plus reposé.

Mon conseil

Maintenir sa stratégie alimentaire les deux tiers du temps pendant les vacances, mais l'autre tiers, lâcher son fou et laisser libre cours à ses envies.

CHAPITRE 2

MICHEL BARRETTE

Prévenir les chutes d'énergie

À cause de ses mauvaises habitudes alimentaires, Michel expérimentait des pertes d'énergie subites après les repas. Au lieu de reprendre des forces après avoir mangé, il éprouvait les symptômes classiques liés à une chute de glycémie.

Il cherchait à compenser ses pannes d'énergie en grignotant ici et là sans jamais régler son problème. Une baisse du glucose engendre de la fatigue, des vertiges et de la somnolence. Ces symptômes correspondent à une perte d'énergie interne. Lorsque des situations exigeantes se présentent, l'énergie requise pour y faire face doit être disponible, au moment voulu. Pour ce faire, on a tout intérêt à éviter les fluctuations du taux de sucre sanguin. Or, Michel, on le sait, vit avec une femme de 18 ans plus jeune que lui. Inutile de le préciser, pour pouvoir la suivre dans ses nombreuses activités, il avait intérêt à stabiliser sa glycémie!

— Martin —

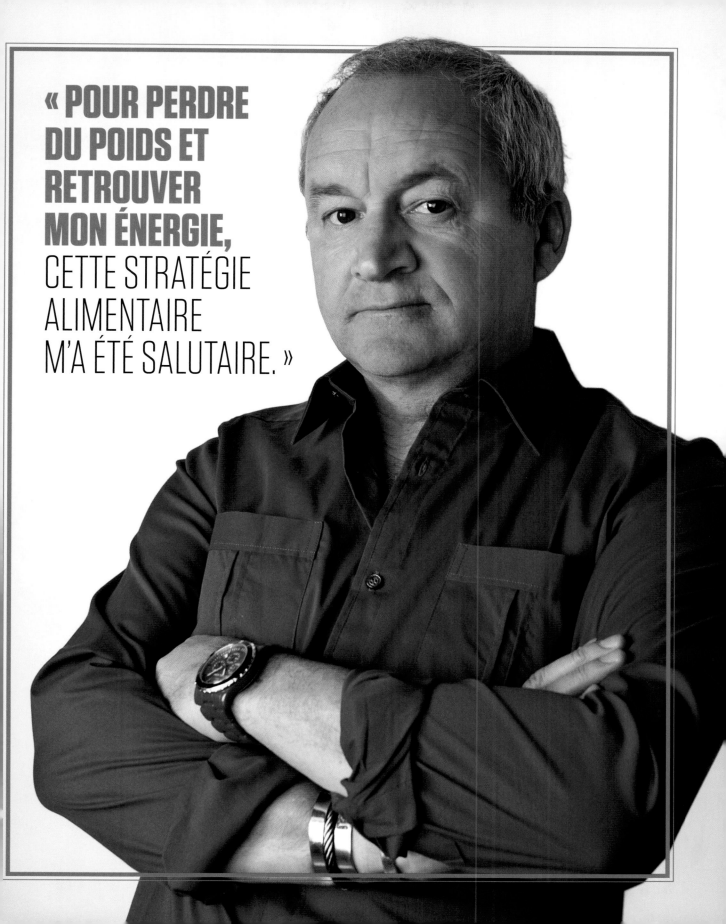

« POUR PERDRE DU POIDS ET RETROUVER MON ÉNERGIE, CETTE STRATÉGIE ALIMENTAIRE M'A ÉTÉ SALUTAIRE. »

Témoignage de Michel Barrette

Entre 20 et 50 ans

Je n'ai jamais eu de problème de poids comme tel. Toutefois, vers la cinquantaine, la plupart des hommes ont tendance à comparer leur poids actuel à celui qu'ils avaient à 20 ans. Dans mon cas, il s'agissait de 15 livres en plus. Il est courant de voir les hommes prendre 10, 20 ou même 30 livres au fil du temps. Je suis un maigre de nature; je n'ai jamais été gros, mais un surplus s'était logé au niveau de la bedaine et des flancs. Ce n'était pas très heureux… Je pesais 180 livres, le poids le plus lourd de toute ma vie. J'avais remarqué aussi une tendance à m'endormir après les repas, comme si mon système digestif avait besoin de toute l'énergie disponible. Au lieu de connaître un regain, mon énergie fluctuait à la baisse. Je me rappelle d'un jour où j'allais donner un show et que je me suis rendu compte que je n'avais rien mangé depuis midi. J'ai fait la gaffe d'aller me ravitailler à la hâte dans un resto de « fast food ». Lorsque je suis arrivé sur scène, zéro d'énergie et zéro de concentration. Mon corps et mon esprit étaient en panne! Il fallait que je mette de l'ordre dans ma vie.

Des rencontres déterminantes

J'avais reçu Laurent Paquin et Maxime Landry à l'émission *Pour le plaisir*. Tous deux avaient énormément perdu de poids. J'ai failli tomber en bas de ma chaise : comment pouvait-on perdre du poids aussi rapidement et de manière aussi saine que celle-là ? C'est alors que j'ai entendu parler de Martin pour la première fois. Quelques mois plus tard, j'ai reçu Mario Tessier à l'émission *Viens-tu faire un tour ?* C'est un gars particulièrement en forme qui n'accuse aucun surplus de poids. Pendant le tournage, il s'est arrêté pour manger ses 10 amandes et son fruit, puis il a refait la même chose en après-midi. C'était soi-disant pour maintenir son énergie. Mario m'a lui aussi parlé de Martin qu'il avait consulté non pas pour perdre du poids, mais pour hausser son niveau d'énergie et pour maintenir un esprit clair et vif. Il prétendait que tout était d'abord et avant tout lié à l'alimentation. Ça m'a donné envie de le consulter. À l'automne 2013, j'ai donc décidé de bénéficier des conseils de Martin, ce qui fut une super bonne décision.

UN REGAIN D'ÉNERGIE

La première fois que j'ai consulté Martin, j'avais un spectacle au programme le soir même. Pour m'y préparer, il m'a fait manger un steak, accompagné de brocoli et d'un jus de légumes. Avant de monter sur scène ce soir-là, j'ai bu beaucoup d'eau pour bien m'hydrater. En spectacle, je pétais le feu! En quelques heures seulement, j'ai constaté une différence notable au niveau de mon énergie. Je suis devenu tel un boxeur au top de sa forme. À Radio-Canada, on me demandait ce que j'avais : je marchais au plafond! Pour perdre du poids et retrouver mon énergie, cette stratégie alimentaire m'a été salutaire. Consulter Martin, ce n'est pas comme entrer en religion; ce n'est pas un abonnement non plus. On ne sent aucune pression.

Des résultats apparents

Ma motivation première était de mincir. J'ai perdu 16 livres et atteint un poids idéal en un court laps de temps. Fait encore plus étonnant, tout le monde l'a remarqué! Je pensais qu'une perte de poids était notable uniquement chez ceux qui avaient un surplus de poids important. Ça ne semble pas être le cas. Je n'éprouvais pas de problèmes de santé spécifiques, mais je prends soin de moi car je ne suis plus jeune jeune. Et pour être bien franc, c'est assez agréable de se faire dire qu'on a un « beau body » alors qu'on est dans la cinquantaine… Je ne m'entraîne pas, mais je n'ai pas honte de me présenter à la piscine pour autant!

Des choix judicieux

J'ai appris d'une manière simple à maîtriser mon énergie par le biais de mon alimentation. Par exemple, au lieu de manger trois toasts de pain blanc au petit déjeuner, je mange de la dinde, accompagnée d'un yogourt et de fruits.

Je dîne et soupe en privilégiant une source de protéines et des légumes. Entre les repas, quelques amandes et un fruit me servent de collation. Le soir, je mange encore une protéine avec des légumes. Même en vacances, je peux facilement me concocter un repas santé. Au restaurant, au lieu de commander les 14 ou 16 onces de steak proposées au menu, je choisis la portion de 9 onces et je remplace les frites par des brocolis. C'est simple et facile à intégrer au quotidien, et c'est ce qui me plaît. Je bois aussi beaucoup d'eau. Certains l'ignorent mais le fait d'en boire beaucoup permet d'éviter la constipation. C'est une solution tout à fait naturelle. De temps en temps, je m'organise une soirée où je mange tout ce que je veux: fondue, sauce, patates, beurre, tout est permis! Je ne me sens pas privé et la vie n'est jamais plate. Fait étonnant, si je me laisse aller à manger un sac de croustilles, dès le lendemain je trouve que ce n'était pas nécessairement une bonne idée… Et j'en ai de moins en moins envie.

© Hugo B. Lefort

Un impact positif sur le corps et l'esprit

Ma blonde prend naturellement soin de son alimentation et je sais qu'elle n'aura jamais de problème de poids. C'est dans sa nature. Faut-il rappeler que ma femme a 18 ans de moins que moi? Tant mieux pour moi! Mais comme elle me le laissait entendre un jour, elle n'aimerait pas me voir devenir un vieux bedonnant. Je n'ai pas envie de me laisser aller. En prime, on dit que cette alimentation a un impact positif sur la libido. Déjà que j'en avais une bonne! (rires) Disons que je suis capable de suivre ma blonde dans toutes ses activités… Dans le miroir, je ne souhaite pas voir un gars de 20 ans, mais un gars de son âge, en forme. Et surtout, je veux avoir l'énergie nécessaire pour faire mes grimaces. Je crée et j'improvise: je ne peux tout de même pas avoir le cerveau dans la guimauve…

Sucre, sel et alcool

J'ai éliminé le sucre raffiné qu'on trouve dans tant de produits. J'évite les pâtes, le pain et les patates. Je surveille aussi la quantité de sel ajoutée aux aliments. Je ne touche plus à ce qui contient trop de sucre ou trop de sel. J'ai aussi modéré ma consommation d'alcool. Ce sont des détails en apparence, mais qui ont largement contribué à m'aider à maintenir un meilleur niveau d'énergie.

Le conseil de Michel

Depuis que j'ai changé mon alimentation, je vérifie toujours le contenu des aliments que j'achète. Prenez le temps d'évaluer ce que vous mangez et faites des choix en conséquence. Vous achetez des céréales ? Vérifiez ce qu'elles contiennent. Sont-elles riches en fibres ? Contiennent-elles trop de sucre ? Certains jus de légumes qu'on prétend « santé » contiennent des quantités phénoménales de sel et de sucre ajoutés. Comparez les quantités de sucre, de sel et de gras dans les produits de deux marques différentes. Vous pourrez ainsi choisir la version la plus saine.

Au moment de faire son épicerie

Lorsque vous faites votre épicerie, évitez les rangées intérieures. Les trois seules qui soient vraiment nécessaires sont délimitées par les trois murs extérieurs de l'épicerie : le rayon des fruits et légumes, celui des viandes et enfin les produits laitiers. Au centre, c'est là qu'on trouve tous les produits non essentiels : conserves, croustilles, sucreries et produits transformés de toutes sortes.

Un petit clin d'œil

Et bien sûr, en bon Saguenéen, je tiens à vous le dire : les bleuets, c'est bon pour la santé !

LA RECETTE DE MICHEL
TRUITE À L'ORANGE ET AU GINGEMBRE

PORTIONS 2

INGRÉDIENTS
2 pavés de truite saumonée (350 g), avec la peau
½ c. à thé de zestes d'orange
2 c. à soupe de jus d'orange
1 c. thé de gingembre frais, râpé
Sel et poivre, au goût
Accompagnement
1 tasse de brocolis vapeur
½ tasse de minis maïs
½ tasse de feuilles de laitue

PRÉPARATION
1. Préchauffez le four à 400 °F.
2. Disposez les pavés côté chair vers le haut sur une plaque de cuisson avec du papier parchemin.
3. Salez et poivrez les pavés. Répartir également les zestes, le jus d'orange et le gingembre sur les 2 pavés.
4. Cuire pendant environ 8 minutes. Servez avec les légumes.

VALEUR NUTRITIVE PAR PORTION		
Calories	→	251
Matières grasses	→	7 g
Glucides	→	15,1 g
Protéines	→	32,6 g

INDICE GLUCIDES

Les conseils de Martin

Pourquoi on prend du poids avec l'âge

Engraisser est un phénomène biologique naturel chez l'être humain. La prise de poids est souvent associée aux changements hormonaux qui se produisent autour de la cinquantaine. Chez la femme, on parle de ménopause et chez l'homme, d'andropause. Parmi les autres facteurs d'influence, la prise de poids est associée à une surconsommation alimentaire et au fait que les hommes et femmes sont moins actifs en vieillissant. Sur un plan purement sociologique, si l'on compare notre disponibilité alimentaire à celle de nos ancêtres qui chassaient pour trouver leur nourriture, nous n'avons plus qu'à ouvrir la porte du garde-manger. Si la chasse comme moyen de subsistance est chose du passé, le gibier quant à lui se trouve en abondance, mais il est souvent constitué d'aliments tranformés. Conséquence directe de l'industrialisation alimentaire, en volume moindre, nos aliments sont plus condensés et plus caloriques. Pour ces raisons, le cumul d'une livre ou deux devient avec le temps... 30 livres!

L'hypoglycémie

L'hypoglycémie est une chute du taux de sucre sanguin, conséquence d'une hyperglycémie causée par une trop grande consommation de glucides.

La bascule glycémique se produit de l'hyperglycémie à l'hypoglycémie. Ce changement métabolique délicat implique une dépense énergétique inutile, affectant à la fois le corps et l'esprit. Lorsque le taux de sucre descend, le corps met tout en œuvre pour le stabiliser. L'énergie mobilisée par la stabilisation de la glycémie est perdue : elle ne sert ni à la réalisation de projets, ni à la pratique d'un sport ou d'une activité, ni à l'expression de la libido. On peut stabiliser son taux de sucre sanguin grâce à une alimentation saine et à la prise de collations.

Pourquoi manger de la viande rouge ?

Aux artistes qui doivent monter sur scène, je suggère toujours de manger de la viande rouge avant leur spectacle. Elle a l'avantage de hausser le niveau de testostérone et d'hémoglobine, en plus de favoriser une bonne oxygénation. En d'autres mots, ça donne du chien!

À retenir

On ne devrait jamais consommer plus de 25 grammes de glucides par repas.

UN TRUC POUR AMÉLIORER LE TRANSIT INTESTINAL

Une bonne santé intestinale repose sur une consommation d'eau suffisante. À ceux qui souffrent de constipation, je suggère de boire de l'eau minéralisée, gazéifiée ou non, à haute teneur en magnésium. Ce minéral est réputé pour favoriser le transit intestinal.

POURQUOI SURVEILLER SA CONSOMMATION D'ALCOOL

La consommation d'alcool semble banalisée dans notre société actuelle. Pourtant, deux verres de vin par jour provoquent une hypersécrétion des catécholamines au niveau du système nerveux central ainsi que des reins et des surrénales, comme en situation de stress. On constate aussi une augmentation du cortisol, de l'angiotensine plasmatique et de l'aldostérone (corticostéroïdes) ainsi que l'augmentation de la résistance à l'insuline (pathologie pré-diabétique).

Source:
Juillière Y, Gillet C. Alcool et hypertension artérielle. Alcoologie 1996;18:331-4.
Altura BM, Altura BT. Peripheral and cerebrovascular actions of ethanol, acetaldehyde, and acetate: Relationship to divalent cations. Acohol Clin Exp Res 1987;11: 99-111.

Le lien entre l'énergie et la libido

Quand on est malade ou en panne d'énergie, la première fonction à laquelle le corps renonce est la reproduction. Le niveau d'énergie et la libido sont intimement liés. Pour assurer la survie de la race, la sélection naturelle a prévu que chaque être vivant ne se reproduise pas s'il est malade, fatigué ou faible.

Lire les étiquettes

La liste des ingrédients affichée sur les produits ne devrait pas contenir plus de trois ingrédients ajoutés. Pour un jus de légumes, on exclut bien sûr les ingrédients de base tels que les carottes, le céleri, le poivron, etc. On surveille aussi le sucre ajouté qu'on trouve sous les mentions «glucose» et «fructose». Dans un jus de légumes, les seuls sucres permis sont ceux provenant des légumes. Si l'on identifie la présence de glucose et de fructose, ce n'est plus un jus de légumes: c'est un cocktail.

Les bienfaits des bleuets

Grâce à sa richesse en flavanoïdes, le bleuet est une excellente source d'antioxydants. Son index glycémique faible en fait un aliment antidiabétique de premier choix.

Champion des antioxydants

Parmi une vingtaine de fruits, le bleuet se classe bon premier pour sa capacité antioxydante totale. Suivent de près la canneberge, la mûre, la framboise et la fraise. N'hésitez pas à colorer vos assiettes de ces petits fruits afin d'aider votre organisme à combattre les radicaux libres. Le bleuet sauvage aurait une capacité antioxydante encore plus élevée que le bleuet cultivé.

Source:
Passeportsanté.net
Kalt W, Ryan DA, et al. Interspecific variation in anthocyanins, phenolics, and antioxidant capacity among genotypes of highbush and lowbush blueberries (Vaccinium section cyanococcus spp.). J Agric Food Chem. 2001;49:4761-4767.

GRÂCE À SA RICHESSE EN FLAVANOÏDES, **LE BLEUET EST UNE EXCELLENTE SOURCE D'ANTIOXYDANTS.**

Le sel

On consomme généralement trop de sel dans notre alimentation quotidienne, notamment par le biais de produits transformés. On utilise largement le sel dans l'industrie alimentaire, soit pour donner du goût, soit pour assurer une plus longue conservation de l'aliment. C'est judicieux que d'éviter de consommer les aliments transformés à cause de leur trop grande teneur en sodium.

Selon Santé Canada, l'apport quotidien recommandé en sodium pour les personnes âgées de plus d'un an s'échelonne de 1 000 à 1 500 mg.

Les Canadiens et les Canadiennes consomment environ 3 400 mg de sodium par jour. Ceci représente plus que le double de l'apport nécessaire. Il faut savoir que le sodium est un nutriment présent dans le sel et dans plusieurs aliments transformés. Pour être en bonne santé, l'organisme humain a besoin d'une petite quantité de sodium. En trop grande quantité, le sodium peut provoquer l'hypertension artérielle, un important facteur de risque d'accident vasculaire cérébral, de maladie cardiaque et de maladie rénale. De plus, l'apport excessif en sodium a aussi été mis en cause dans l'augmentation des risques d'ostéoporose, de cancer gastrique et dans l'aggravation de l'asthme.

Source : Santé Canada

Le glutamate monosodique (GMS)

Pour des raisons de marketing qui visent à séduire une plus vaste clientèle, plusieurs des aliments qu'on nous propose sont faibles en gras. Puisqu'on y perd au goût, on compense en faisant appel à des sources de sodium dont le glutamate monosodique, un additif alimentaire abondamment utilisé dans l'alimentation transformée. Il rehausse la saveur des aliments, et les plats préparés en contiennent de grandes quantités. À éviter.

Hypertension artérielle et maladies cardiovasculaires

De nombreuses études ont démontré qu'un apport élevé en sel augmente les risques d'hypertension artérielle. Un excès de consommation de sel peut ainsi aggraver les facteurs de risques des maladies cardiovasculaires.

Une diminution de 25 à 35 % de la consommation de sel diminuerait le risque cardiovasculaire de 25 à 30 % chez des sujets atteints d'hypertension artérielle (étude de Juillet 2007, British Medical Journal), entraînant également une diminution de la tension artérielle. La plupart des experts internationaux préconisent de réduire de 30 % nos apports de sel quotidiens. L'OMS préconise même en deçà de 5 grammes par jour.

Source : sante-medecine.commentcamarche.net

CHAPITRE 3

MAXIME LANDRY

Quand manger fait maigrir

Maxime est l'exemple même du bon vivant qui n'avait jamais eu l'occasion de se prendre en main... jusqu'à ce qu'il se trouve dans l'obligation de le faire. La vie nous pousse parfois dans le dos. Il ne mangeait plus qu'un repas par jour et à son grand désarroi continuait de prendre du poids.

Faute de carburant, il peinait à trouver l'énergie nécessaire pour accomplir les longues journées qui sont les siennes. À cela se greffaient des problèmes de digestion et de sommeil. Lorsqu'il a atterri dans mon bureau, il ressentait l'urgence de changer son mode de vie. Au début, à cause de ses horaires et de ses nombreux déplacements, il éprouvait de la difficulté à se responsabiliser face à ses choix alimentaires. Les plats proposés sur la route ou en coulisses pouvaient le rendre vulnérable. Fort heureusement, il a mis sa « garde rapprochée » à contribution, c'est-à-dire qu'il a sensibilisé ceux qui l'entourent afin qu'ils l'aident à poursuivre dans cette nouvelle voie qu'il avait choisie. Et cela a marché !

— Martin —

« J'AI PERDU
40 LIVRES,
SANS MÊME
M'ENTRAÎNER. »

Témoignage de Maxime Landry

Se reprendre en main

J'en étais arrivé à un moment de ma vie où il fallait que j'agisse : je voulais me reprendre en main. Après *Star Académie*, j'avais pris énormément de poids. À l'été 2013, au moment où je terminais ma tournée, j'éclatais littéralement dans mes vêtements. Pour être franc, je ne pouvais plus me voir dans un miroir et j'étais gêné de me présenter sur scène avec mon poids en trop. Je ressentais une grande fatigue presque constante et j'éprouvais de la difficulté à compléter mes journées. J'avais le dos rond, ni énergie ni tonus. C'est à cette période que j'ai entendu parler de Martin, notamment par Julie (Snyder).

Un engrenage néfaste

À cette période, je mangeais à des heures irrégulières et, le plus souvent, peu de temps avant de me mettre au lit. J'éprouvais des problèmes de digestion, des maux d'estomac, des épisodes d'insomnie… Et je prenais du poids. Pour contrer ce problème, je m'étais mis en tête de ne manger qu'une fois par jour. J'ai essayé un tas de choses pour perdre ce surplus de poids ! J'étais constamment sur la route et m'arrêtais dans des endroits qui servaient du «fast food». Je mangeais mal. J'étais pris dans un engrenage néfaste pour ma santé.

UN CHANGEMENT DRACONIEN

Martin m'a convaincu des bienfaits d'une saine alimentation répartie en trois repas et trois collations au quotidien. J'ai réappris à m'alimenter. Je mange dorénavant souvent, et à ma faim. Les collations entre les repas stabilisent mon énergie. Je me sens davantage en forme, mieux que jamais dans ma peau et j'ai le goût de bouger. Cette stratégie alimentaire m'a fait éliminer du poids très rapidement. J'ai perdu 40 livres, sans même m'entraîner. C'est essentiellement dans l'assiette que le combat s'est livré. Le plus étonnant, c'est que j'étais en surpoids en mangeant un seul repas par jour et que j'ai maigri en mangeant six fois par jour ! J'ai finalement compris qu'il faut manger pour éliminer. Comme je mangeais peu, mon corps craignant la disette faisait des réserves, des réserves et encore plus de réserves !

Un nouveau plaisir à table

Depuis que j'ai adopté cette stratégie alimentaire, je me sens flambant neuf! Les envies de «fast food» m'ont quitté. J'ai fait les efforts nécessaires pour perdre du poids; je ne veux surtout pas revenir à mes anciennes habitudes. Je suis toujours heureux de manger mon repas composé de viande et de légumes. Parfois, en voyant mon assiette, des gens me demandent si j'ai encore faim après mon repas... En fait, je n'ai jamais ressenti la faim depuis. Je passe mon temps à manger! J'ai aussi développé une grande satisfaction à bien m'alimenter. Pour varier mes protéines, j'ai découvert toutes sortes d'aliments que je n'avais jamais goûtés, tant du côté des viandes que des poissons. Je peux manger toutes les viandes maigres, blanches ou rouges. La règle est simple à suivre: pas d'abats ni viande transformée comme les charcuteries. Je peux aussi manger tous les poissons que je veux, même ceux qui sont gras, ainsi que tous les fruits de mer. Je m'accorde des permissions à l'occasion et j'arrive à me gâter en prenant un verre de vin quand j'en ai envie. Au restaurant, j'examine le menu sous un autre angle et fais les meilleurs choix possibles, généralement un morceau de viande ou une pièce de poisson avec des légumes. J'y trouve toujours mon compte.

Un motivateur au bout de son téléphone intelligent

Le fait de rencontrer Martin une fois par semaine me forçait à rendre des comptes. Ça m'a donné la motivation nécessaire pour passer au travers. Encore aujourd'hui, lorsque ça ne va pas et que je me sens fléchir, j'envoie un texto à Martin qui me suggère alors d'aller me chercher des amandes, un morceau de saumon ou autre. Il me ramène à l'objectif assez rapidement! Ça peut sembler étrange, mais il prend les choses à cœur et je ne veux pas le décevoir. À une certaine période, grâce à une application, il était mis au courant de mon poids directement sur son téléphone intelligent lorsque j'embarquais sur la balance. C'est ce qu'on appelle une incitation à rester dans le droit chemin...

FOCALISER SUR LE POSITIF

J'avais toujours eu les régimes en horreur parce qu'on nous énumère habituellement toutes les restrictions imposées. Il faut renoncer à manger bon nombre d'aliments. Avec Martin, c'est l'inverse: il met l'accent sur tout ce qu'on a le droit de manger. Au bout d'un certain temps, je me suis rendu compte que j'avais diminué considérablement ma consommation de féculents (pain, pâtes et patates). J'avais droit à tout cela... mais occasionnellement. Ça peut sembler anodin, mais cette manière de présenter les choses m'a aidé à mieux appliquer ma stratégie alimentaire au quotidien. Quand on met l'emphase sur ce qu'on a le droit de consommer et non sur ce qui est interdit, ça change l'optique. Je peux manger des pâtes trois fois par semaine, en portion modérée, de même qu'un dessert de temps en temps. Finalement, ça me permet de me faire plaisir... mais sans excès.

MARTIN M'A FAIT RÉALISER
QUELQUE CHOSE DE PRÉCIEUX :
PERSONNE NE PEUT MIEUX
PRENDRE SOIN DE NOUS
QUE NOUS-MÊMES.

AMÉLIORER LA QUALITÉ DE SON SOMMEIL

Depuis une dizaine d'années, j'éprouvais des problèmes de sommeil. J'avais tenté différentes approches pour combattre l'insomnie, mais sans succès. Le fait de changer mon alimentation a contribué à améliorer les choses. Il faut dire que j'avais l'habitude de manger avant de me coucher, ce qui était une erreur en soi. Je ne prétends pas avoir réglé tous mes problèmes de sommeil, sauf que la situation s'est beaucoup améliorée. Je sens que ça évolue dans le bon sens. Je suis insomniaque depuis fort longtemps. Le stress me rattrape au lit car une multitude de pensées m'assaillent quand vient l'heure de dormir. Le manque de sommeil serait aussi lié à la prise de poids. Finalement, je maigris et dors mieux, et parce que je dors mieux, je maigris. Martin m'avait aussi proposé un produit qui m'a beaucoup aidé, *Nocturne Control*, lequel favorise les paramètres naturels du sommeil sans créer d'accoutumance. Je l'utilise au besoin, notamment pendant les périodes de stress. Je m'endors plus rapidement et mon sommeil est de meilleure qualité. Autre conséquence de l'adoption de cette stratégie alimentaire: la hausse incroyable de mon niveau d'énergie. Je n'ai jamais autant travaillé de ma vie, mais j'ai l'énergie nécessaire pour faire face à tous mes engagements. Je suis performant, malgré mes horaires bien remplis. Je me sens mieux dans ma peau et plus à l'aise sur scène.

Mettre les proches à contribution

À cause de mon métier, je suis confronté à toutes sortes d'occasions qui pourraient m'amener à flancher. En coulisses, il y a des en-cas, des goûters, des aliments dont je dois me tenir loin. Je n'avais pas envie de priver mes musiciens de leurs gâteries ni les obliger à adopter mes types de repas composés de protéines et de légumes. Je ne fais pas la morale aux gens qui m'entourent. Chacun choisit ce qui lui convient. Par contre, avec Martin, j'ai établi une stratégie efficace à l'arrière-scène: je m'organise pour avoir des collations santé à portée de main dans ma loge, notamment des légumes, des fruits, des noix et de l'eau. En outre, je suis souvent otage de l'environnement dans lequel je me trouve. Lors d'un tournage par exemple ou d'un lancement, je m'organise maintenant pour qu'on prévoit ce dont j'ai besoin: on planifie mes repas. Mon équipe sait que je fais attention et que je ne veux pas flancher. À cet égard, j'ai informé ceux et celles de « ma garde rapprochée ». Il fallait que mon entourage soit mis au courant afin de me faciliter la vie. Quel que soit notre métier, on peut se constituer une garde rapprochée en comptant sur des membres de notre famille et quelques amis.

Penser à soi

Martin m'a fait réaliser quelque chose de précieux: personne ne peut mieux prendre soin de nous que nous-mêmes. Sans pour autant exclure les autres, il faut penser à soi. De par ma nature, j'étais tourné vers les autres et je voulais toujours m'assurer qu'ils soient bien... mais je pouvais me négliger, sauter des repas, omettre de me procurer l'essentiel. J'ai appris à développer de bonnes habitudes qui me font du bien et qui me permettront de faire ce métier longtemps - je l'espère. Dire que ma mère me rappelait toujours de prendre soin de moi... Je réalise maintenant à quel point elle avait raison! J'ai finalement compris qu'il était temps que j'instaure des changements durables si je souhaitais poursuivre ma carrière longtemps au sein de ce métier, et j'ai pris les moyens pour y arriver.

VALEUR NUTRITIVE PAR PORTION		
Calories	→	234,3
Matières grasses	→	8 g
Glucides	→	15,2 g
Protéines	→	29,3 g

LA RECETTE DE MAXIME

SOUPE-REPAS ASIATIQUE

PORTIONS **2**

INDICE GLUCIDES

INGRÉDIENTS

Soupe

150 g de poitrine de poulet, tranchée mince
10 crevettes (30-40) crues,
décortiquées et déveinées
2 c. à thé d'huile de noix de coco
1 gousse d'ail, hachée
1 c. à thé de gingembre frais, rapé
2 oignons verts
3 tasses de bouillon de poulet
1 tasse d'eau
2 c. à thé de jus de lime
½ c. à soupe de sauce de poisson
1 pincée de cinq épices chinoises
¼ tasse de châtaignes d'eau, en julienne
¼ tasse de carottes, en julienne
¼ tasse de céleri, en julienne

Garniture

¼ tasse de pois mange-tout,
tranchés finement
½ tasse de coriandre fraîche, émincée
½ tasse de basilic frais, émincé
¼ tasse de pousses de daïkon, facultatif

PRÉPARATION

1. Dans une grande casserole, faites suer l'ail, le gingembre et les oignons verts dans l'huile, de 4 à 5 minutes.
2. Ajoutez l'eau et le bouillon. Portez à ébullition. Couvrez et laissez mijoter doucement environ 10 minutes.
3. Ajoutez le poulet, les crevettes, la sauce de poisson et les cinq épices chinoises. Laissez mijoter doucement environ 5 minutes.
4. Ajoutez le jus de lime, les châtaignes d'eau, les carottes et le céleri. Servez immédiatement dans de grands bols à soupe et décorez avec la garniture de fines herbes.

Les conseils de Martin

Pourquoi se constituer une garde rapprochée

En clinique, je constate que l'erreur la plus fréquente est de ne pas vouloir parler à ses proches du processus de perte de poids qu'on vient d'amorcer. Il faut pouvoir compter sur les autres pour nous soutenir et, pour ce faire, on peut se constituer une garde rapprochée. Notre conjoint et/ou nos proches pourront éventuellement désamorcer des situations qui peuvent susciter un dérapage. Lors d'un souper entre amis, par exemple, notre conjoint pourra nous appuyer si on refuse un verre de vin ou de manger certains aliments. Il pourra nous aider à nous tirer d'un mauvais pas ou à maintenir la motivation nécessaire pour éviter certains pièges.

Communiquer notre démarche

Entreprendre un processus de perte de poids demeure un choix personnel. Par contre, le fait d'en parler de manière objective peut contribuer à maintenir notre détermination. Si on est invité à souper chez des amis, on ne refuse pas l'invitation sous prétexte que notre naturopathe ou diététiste s'oppose à ce que nous mangions telle ou telle chose. Si on demande de l'aide et qu'on explique brièvement notre démarche, les gens baisseront eux aussi leur garde, respecteront notre choix et, même, nous soutiendront. Au lieu de susciter une confrontation, cette démarche génère plutôt une collaboration. Tout est question de communication.

Ne pas tenir compte des rabat-joie

Quand on est en processus diététique et qu'on veut perdre du poids, il y aura toujours des gens pour donner un point de vue sur la question, même s'il n'est pas requis. Préparez-vous à entendre des commentaires de pseudo-spécialistes qui tenteront de vous convaincre que vous avez tort : « Oui, mais ma belle-sœur a déjà fait ça et elle a repris du poids... » On connaît ces discours. Il n'est pas nécessaire de s'y exposer.

UN CONSEIL

Mieux vaut ne pas s'obstiner avec nos hôtes qui veulent absolument nous faire boire ou manger certaines choses. Ce qu'ils recherchent d'abord et avant tout, c'est leur propre plaisir. On insiste pour que vous preniez cet apéro ? Soit. Rien ne vous empêche de vous en débarrasser à l'abri des regards et de le remplacer par une eau gazéifiée. Au lieu d'en faire un plat et de donner de longues explications, on peut s'en tenir à mettre nos proches au courant de notre démarche.

Au restaurant

Vous devez manger au restaurant ? Voici quelques trucs qui vous permettront de rester fidèle à votre stratégie alimentaire.

Avant de s'y rendre

Informez-vous avant de vous rendre au resto. Soyez proactif. Si vous savez dans quel restaurant vous irez manger, allez voir le menu au préalable. Faites une présélection mentale de ce que vous souhaitez commander. Ceci peut vous éviter bien des tracas.

Consulter le menu en commençant par la fin

Les menus sont souvent agencés de la même manière : les plats dont le rapport qualité/prix est le moins intéressant sont placés au début. Par exemple, les sandwichs et les pâtes sont proposés dans les premières pages, et c'est souvent là qu'on s'arrête. Quand on y pense, ce sont les repas les plus payants pour le restaurateur. Plus on avance dans le menu, plus le profit diminue... Les viandes et les poissons sont offerts à la fin. On peut contrer le problème en ouvrant le menu par la fin. Généralement, on peut trouver des viandes et des légumes dans tous les restaurants.

Et la vinaigrette ?

On peut demander que la vinaigrette soit à part. Si elle a déjà été mélangée à votre salade, rassurez-vous : ce n'est pas ce qui vous fera engraisser. À ma connaissance, personne n'a jamais pris 70 livres à manger de la salade accompagnée de vinaigrette...

Ne pas craindre d'exprimer vos demandes

La compétition est féroce en restauration et, généralement, on souhaite satisfaire les demandes des clients. C'est normal de spécifier certains détails tels que ne pas faire cuire sa viande dans l'huile (on peut prétendre être allergique) et demander qu'il n'y ait pas de panure sur les viandes. Les allergies sont de plus en plus courantes et les goûts, de plus en plus diversifiés. Très conscients de ces aspects, les restaurateurs le confirmeront : faire part de demandes spécifiques, c'est dans l'air du temps ! Ces accommodements sont raisonnables. On respectera vos préférences, sauf si elles sont vraiment exagérées... telles que d'exiger de retirer les Smarties rouges d'un pot de bonbons !

AVANT MÊME DE PASSER SA COMMANDE

D'entrée de jeu, on peut demander au serveur d'apporter de l'eau gazéifiée le plus rapidement possible et de ne pas déposer de corbeille de pain sur la table. Avant même de choisir notre plat principal, on commande une salade en entrée.

Pourquoi manger fait perdre du poids ?

Maxime avait pris l'habitude de ne manger qu'un repas par jour. Son corps avait mis en place un système de survie. Quand on ne mange pas suffisamment, le corps perçoit une situation de famine et fait alors des réserves. Certains métabolismes se mettent à fonctionner au ralenti ou sont même freinés pour assurer encore une fois la survie du corps. Nos processus biochimiques inhérents, qui sont très complexes, visent cet objectif. L'ours exploite ce mode de survie biologique d'une manière extrême: il ne mange pas durant son hibernation qui s'étale du début à la fin de l'hiver; il devient le moins actif possible. Quand on s'abstient de manger, on ralentit nos métabolismes et devient le moins fonctionnel possible. Par le fait même, notre corps réduit sa dépense énergétique au minimum.

Les diètes hypocaloriques

Les diètes hypocaloriques reposent sur le principe suivant: absorber moins de calories que l'apport nécessaire au corps pour fonctionner. Le corps se met alors en mode de survie. Toutes les fonctions sont de ce fait hypothéquées: on a moins d'énergie et de résistance; le système immunitaire fonctionne moins bien, etc. Même la santé pourra éventuellement être mise en péril! On peut perdre du poids durant les premières semaines dudit régime, mais habituellement entre la cinquième et la huitième semaine, des symptômes de malnutrition peuvent apparaître. Maux de tête, étourdissements, hypotension, manque d'énergie et libido à la baisse font partie d'un cercle vicieux qui s'installe: on dépense moins d'énergie, sauf qu'on en a moins à sa disposition. Il n'est pas étonnant que pour compenser, on puisse éventuellement trop manger et, surtout, abandonner sa diète.

Le manque de nutriments

Un autre conséquence d'une diète hypocalorique, c'est le fameux manque de nutriments associé au manque de calories. Les lipides, les protéines, l'eau ne sont pas consommés en quantité suffisante. Lorsque la consommation d'eau prévue dans les aliments ne se fait plus, le corps ne peut plus se réhydrater convenablement. La nature a prévu qu'environ ½ litre d'eau soit ingéré grâce aux aliments solides.

Les protéines

Lorsque les gens entreprennent une diète, il arrive qu'ils choisissent volontairement de manger moins de viande. Pourtant, pas de protéines = pas de masse musculaire. Les muscles sont parmi les plus importants intervenants au niveau du métabolisme basal (les besoins énergétiques de base pour nous permettre de respirer, de faire battre le cœur, etc.). On devrait donc faire une place de choix aux protéines.

Le piège n'est pas tant dans le choix de la viande que dans la manière de l'apprêter. Le poisson et les crevettes panés ne sont pas admis pour des raisons évidentes, pas plus que les escargots à l'ail.

Le saviez-vous ?

Sur un plan étymologique, le mot « protéine » trouve ses origines dans la langue grecque et signifie « premier ».

Source:
Dictionnaire de poche de la langue française
Larousse étymologique

QUELQUES CONSEILS POUR AMÉLIORER LA QUALITÉ DE VOTRE SOMMEIL

Si vous souffrez d'insomnie, voici cinq conditions à respecter pour favoriser un bon sommeil.

1. Assurez-vous d'avoir un poids santé et d'éviter l'embonpoint abdominal.
2. Libérez vos angoisses: écrivez, communiquez, parlez. Faites-le avant que vos angoisses ne vous rejoignent même dans votre sommeil.
3. Assurez-vous d'avoir une période de détente avant le sommeil. Pour ce faire, évitez:
   → le travail, les courriels, les réseaux sociaux;
   → les écrans d'ordinateur et de téléphone intelligent (la lumière bleue est reconnue pour être particulièrement stimulante);
   → les stimulants cérébraux, qu'ils soient de nature alimentaire ou autres tels que les jeux, la lecture, etc.
4. Dormez dans une noirceur absolue.
5. Au besoin, n'hésitez pas à trouver une mesure d'appoint que ce soit le yoga, la méditation ou même une supplémentation adéquate.

CHAPITRE 4

ADIB ALKHALIDEY

Quand le stress génère de l'anxiété

Dans le domaine de l'humour, la route est généralement longue et la compétition, féroce. Mais contre toute attente, dès sa sortie de l'école, Adib Alkhalidey a été propulsé aux côtés des têtes d'affiche. Il avait rêvé de cette carrière...

Toutefois, il ne s'attendait pas à ce que les choses s'enchaînent à cette vitesse. En moins de deux, il a partagé les planches avec les plus grands humoristes du Québec, et Martin Matte lui a proposé de faire la mise en scène de son show. Les propositions d'entrevues et de spectacles à la télé ont fusé de partout. Le rêve qu'il caressait était à sa portée. Serait-il à la hauteur?

On peut suivre une formation pour devenir humoriste, sauf qu'il n'existe aucun cours pour apprendre à gérer un succès rapide et inattendu. L'ampleur du stress qui accompagne toute ascension vertigineuse est réelle. Dans le cas d'Adib, comme le dit si bien l'expression, le succès lui est tombé dessus comme une tonne de briques! Puisqu'il est

d'un tempérament nerveux, la situation a créé chez lui une poussée d'anxiété. En prime, le «syndrome de l'imposteur» le guettait... Ce syndrome s'est heureusement résorbé, car Adib a pris la décision de changer son mode de vie. Nous avons examiné ensemble ses habitudes de vie, dont certaines étaient à revoir. Pour performer malgré un stress important, il faut avoir recours aux meilleurs outils qui soient. La règle d'or: ne jamais sauter de repas. J'ai dû m'assurer qu'Adib s'alimente convenablement, du petit déjeuner au souper. Il a bien saisi l'importance de cet enjeu. Une fois son taux de sucre stabilisé, son énergie revenue, il pouvait relever avec confiance les défis qui l'attendaient. L'équilibre était de retour dans sa vie!

— Martin —

« PUISQUE JE VEUX ENTRETENIR
MON CORPS ET MON ESPRIT,
JE FAIS ATTENTION À CE QUE J'INGÈRE. »

Témoignage d'Adib Alkhalidey

Un mode de vie à revoir

Lors de ma première rencontre avec Martin, j'étais à plat et ne comprenais pas ce qui m'arrivait. Je venais à peine de terminer mes études et j'étais confronté à d'immenses défis! Le hic: mon mode de vie n'était pas adapté à ma charge de travail. À l'été 2013, par l'intermédiaire de mon gérant, j'en suis venu à la conclusion que j'avais besoin des conseils d'un spécialiste pour m'aider à établir un mode de vie sain afin de mieux faire face à mes engagements. À l'époque, j'ignorais à quel point le sommeil et la nutrition sont des facteurs essentiels à l'équilibre. Je me nourrissais mal et mon niveau d'énergie fluctuait. C'est en ressentant des moments de fatigue que j'ai compris que je devais changer certaines habitudes. Par exemple, j'avais toujours entendu dire que les pâtes donnaient de l'énergie. J'en mangeais donc avant de monter sur scène. J'ai appris depuis que non seulement elles font engraisser, mais elles ne procurent pas l'énergie escomptée. Après en avoir mangées, mon niveau d'énergie chutait.

Quelques mauvaises habitudes

En examinant de plus près ma manière de vivre, je me suis rendu compte que j'avais pris de mauvaises habitudes. J'exerce un métier sans horaire régulier. Je me fichais de mes heures de sommeil et du temps consacré à la récupération. Je me couchais et me relevais à n'importe quelle heure. J'avais aussi la mauvaise habitude de sauter le petit déjeuner. Apparemment, c'est la pire chose à faire! De plus, je sous-estimais l'importance de l'hydratation. Je buvais trop de café et pas suffisamment d'eau.

Une stratégie alimentaire efficace

Martin m'a aidé à réviser mes habitudes de vie en me proposant une stratégie alimentaire que je respecte encore aujourd'hui. Très rapidement, j'ai ressenti les bienfaits d'une alimentation qui favorise une consommation élevée de protéines et une diminution des sucres. Après tout, l'alimentation, c'est le carburant du corps; c'est ce qui fait rouler la machine. Puisque je veux entretenir mon corps et mon esprit, je fais attention à ce que j'ingère. Avant de monter sur scène, je mange désormais une protéine accompagnée de légumes et, quelques minutes avant le lever du rideau, des amandes «nature» accompagnées d'un fruit. Ça me rend infiniment plus performant! Martin m'a aussi convaincu de devenir plus actif: je m'entraîne et joue au hockey. Les bienfaits de ces activités sur ma forme physique sont évidents. Finalement, je me suis rendu compte que ce mode de vie me sera utile toute ma vie durant. Ça m'a fait réaliser à quel point on sous-estime l'importance d'une hygiène de vie saine.

DES TRUCS POUR ENDIGUER L'ANXIÉTÉ

Pour contrer nos moments d'anxiété, l'équilibre demeure le meilleur garde-fou. J'ai appris plusieurs trucs qui m'apaisent et me calment. Si je me sens anxieux, je sais dorénavant comment gérer cette réaction pour la résorber en quelques minutes. J'en suis venu à accepter que la vie peut parfois être mystérieuse. Mon rapport au corps et à l'esprit a changé. Ma façon de voir la vie aussi s'en est trouvée transformée.

© Gilbert Fortier

À CEUX QUI L'IGNORENT, MÉDITER N'A RIEN DE RELIGIEUX !

Les facteurs stressants

J'ai notamment compris qu'il est sage de se débarrasser des facteurs stressants sur lesquels on peut agir. Mon métier est fait d'instabilité. Je peux tabler sur un gros contrat et apprendre deux jours plus tard qu'il a été annulé. Il faut que je sois prêt à faire face à toutes sortes d'imprévus.

Retour sur les jours précédents

Dès qu'une réaction d'anxiété fait surface, je porte une attention particulière à mon alimentation des deniers jours et me questionne. Est-ce que j'ai dérogé de ma stratégie alimentaire ? Est-ce que j'ai consommé plus d'alcool que de coutume ? L'état anxieux est généralement lié à ce qu'on a fait ou non durant les jours précédents.

La respiration

Respirer profondément oxygène le cerveau et permet d'entrer en contact avec son corps et son esprit. Lorsque le stress m'envahit, je respire et me rappelle que ça finira par passer.

La méditation

La méditation me fait grand bien et me permet de me calmer naturellement. J'essaie de le faire sur une base régulière, trois ou quatre fois par semaine et, chaque fois, je constate les bienfaits de cette activité. C'est d'ailleurs pour cette raison que je continue à le faire. J'ai même consacré un coin pour la méditation chez moi. Soit dit en passant, méditer n'a rien de religieux !

Le conseil d'Adib

Si comme moi il vous arrive de vous sentir anxieux, discutez-en avec quelqu'un. Chaque fois que j'en ai parlé, j'ai constaté que mon interlocuteur avait lui aussi vécu quelque chose de semblable, souvent sans oser en parler. Tout le monde a peur d'être jugé, ce qui n'est pas inhabituel ni idiot. Ça fait simplement partie de la vie... Il faut apprendre à traduire les messages que notre corps nous envoie et réajuster notre mode de vie en conséquence. Que ce soit à un ami ou à un professionnel, il faut trouver une oreille compatissante et se confier.

LA RECETTE D'ADIB

POULET AU CURCUMA ET À LA MOUTARDE DE DIJON

INDICE GLUCIDES

PORTIONS 2

INGRÉDIENTS

Poulet

2 poitrines de poulet (350 g), coupées en lanières
1 c. à soupe de moutarde de Dijon
1 c. à soupe de sirop d'érable
1 c. à thé de curcuma
1 c. à thé de paprika
2 c. à thé d'huile d'olive
1 c. à thé de beurre

Salade

3 tasses de laitue, lavée et essorée
2 concombres libanais, pelés, épépinés et tranchés
6 tomates cerises, coupées en deux
1 mangue, coupée en lanières
Fromage feta, au goût

PRÉPARATION

1. Mélangez la moutarde, le sirop d'érable, le curcuma et le paprika, et badigeonnez les lanières de poulet.
2. Dans un grand poêlon, faire chauffer l'huile et le beurre à feu moyen. Faites sauter le poulet pendant 5 minutes ou jusqu'à ce que la couleur rosée du poulet disparaisse. Déposez les lanières de poulet sur la salade et ajoutez des morceaux de fromage feta si vous désirez.

VALEUR NUTRITIVE PAR PORTION

Calories	→	512,5
Matières grasses	→	18,8 g
Glucides	→	36,4 g
Protéines	→	50,9 g

Les conseils de Martin

L'anxiété est humaine

Adib avait besoin de conseils pour endiguer son tempérament anxieux. Une saine nutrition est à la base d'une bonne hygiène de vie. Mais pour être efficace, elle doit être appliquée selon la règle de la continuité. Chaque jour, il faut répéter un programme alimentaire adéquat. C'est à cette seule condition qu'on obtient des résultats, et ce, de manière soutenue.

Quelques habitudes qui nuisent à notre équilibre

Voici un bref survol des habitudes de vie qui entravent l'équilibre du corps et de l'esprit. On se rend compte qu'en fait, tous les éléments de la vie peuvent devenir des facteurs stressants et provoquer éventuellement des épisodes d'anxiété, entre autres:

→ un stress mal géré
→ une mauvaise hygiène de vie, c'est-à-dire sans horaire et sans régularité
→ les abus alimentaires
→ la consommation d'alcool

Pourquoi il est nécessaire de bien s'hydrater

Le corps humain est composé d'environ 65 à 70 % d'eau et chacune de nos cellules baigne dans ce précieux liquide. Les métabolismes de gain d'énergie et de perte de poids sont directement liés à la quantité d'eau consommée.

Les symptômes de la soif

Le corps est bien programmé, sauf pour la soif. Soyez prévoyant et buvez même si vous n'avez pas encore soif pour éviter toute phase de déshydratation avancée dont les symptômes sont les suivants:

→ bouche et lèvres sèches
→ langue rugueuse et épaisse
→ crampes et douleurs musculaires
→ étourdissements
→ nausées
→ vision embrouillée

L'importance du déjeuner

Il donne le coup d'envoi à la journée. Le corps ajuste son bilan énergétique en fonction de ce repas. Si nous omettons de manger le matin, le corps se mettra en mode « stockage » et enclenchera un processus antifamine déréglant notre glycémie (taux de sucre) et abaissant le niveau d'énergie disponible. Retarder le déjeuner peut aussi causer la déshydratation. Durant la nuit, le corps se déshydrate. C'est pourquoi il faut assurer une bonne hydratation peu de temps après le réveil en consommant notre eau par le biais de la nourriture ingérée. Remplacer le premier repas de la journée par un café n'assure pas une hydratation adéquate. De plus, si l'on veut perdre du poids, afin d'enclencher une stimulation métabolique, il est essentiel de prendre ce premier repas de la journée. Pour toutes ces raisons, déjeuner en se levant est une bonne habitude à prendre.

QUELLE QUANTITÉ BOIRE ?

On doit boire environ 1,5 litre de liquide non caféiné par jour si on consomme au moins deux fruits et quelques légumes quotidiennement. Sinon, il faut hausser sa consommation d'eau à 2 litres chaque jour. Si on pratique une activité physique et qu'on transpire beaucoup, on doit ajouter 1 litre d'eau par heure d'activité.

LE SAVIEZ-VOUS ?

À l'origine, le mot déjeuner qui nous vient du mot latin «disjunare» voulait littéralement dire «rompre le jeûne». «Dé-jeûner», c'est mettre fin au jeûne imposé par une nuit de sommeil. D'où l'importance fondamentale de ce repas. Voici quelques exemples de déjeuners:

OMELETTE A

INGRÉDIENTS

3 ou 4 blancs d'œufs cuits
1 œuf entier, incluant le jaune (respecter le ratio suivant: 1 jaune pour 3 blancs)
Ajouter des condiments au choix: sauce salsa ou légumes.

OMELETTE B

INGRÉDIENTS

2 blancs d'œufs cuits
1 œuf entier, incluant le jaune
25 à 50 grammes de viande maigre (blanche) au choix
Ajouter au choix: des légumes, des olives, des grains ou des noix.

SANDWICH RAPIDE

INGRÉDIENTS

1 œuf entier (+ 1 ou 2 blancs d'œufs pour les hommes)
1 tranche de jambon maigre, de rôti de dinde ou de veau cuit
1 ou 2 tranches de tomates fraîches
1 c. à thé de fromage cottage 1% égoutté ou 20 g de fromage Allégro 4%
1 feuille de riz ou de laitue (WRAP)
1 c. à soupe de mayonnaise «légère» et/ou de la sauce salsa
Poivre ou épices au choix

FORMULE «PUDDING»

INGRÉDIENTS

2 mesures de lactosérum (isolats)
Un peu d'eau (pour obtenir une consistance de type pudding)
1. Bien mélanger.
2. Ajouter 1 à 2 c. à thé de beurre d'arachides croquant naturel.

MÉDITER EST TOUT SIMPLE. C'EST UN MOMENT D'ARRÊT QUI NOUS ANCRE ENTIÈREMENT DANS LE MOMENT PRÉSENT.

Ce qu'il faut limiter : l'alcool et la caféine

L'alcool inhibe non seulement la perte de gras, mais il peut aussi créer des flux glycémiques ainsi que des états dépressifs et/ou d'anxiété chez certaines personnes. Trop de caféine durant une même journée peut stimuler la diurèse (effet diurétique - donc, perte d'eau). Il faut prêter attention à notre consommation totale de caféine, substance qui se retrouve dans le café, le thé, le chocolat, les boissons énergisantes, etc.

Quelques trucs qui ont fait leurs preuves

On prête à la méditation plusieurs vertus, notamment celles d'améliorer la créativité, de hausser le niveau d'énergie et de contribuer à une meilleure gestion du stress. La respiration profonde permet de refaire le plein d'énergie et de calmer le mental. On remarque que dans les moments d'anxiété, la respiration s'en trouve modifiée : on n'inspire alors que de manière superficielle. À l'inverse, respirer profondément provoque un impact positif sur le corps et sur le mental. Le cerveau est mieux oxygéné et le stress s'estompe.

Technique de respiration au carré

Inspirez pendant 4 secondes, retenez votre respiration pendant 4 secondes. Relâchez en expirant pendant 4 secondes et, à la fin de l'expiration, restez en apnée pendant 4 secondes (c'est-à-dire sans respirer). Recommencez.

Comment méditer

Méditer est tout simple. C'est un moment d'arrêt qui nous ancre entièrement dans le moment présent. Retirez-vous dans une pièce où vous serez tranquille et assoyez-vous confortablement. Respirez profondément et fixez votre attention sur l'air qui entre et sort de vos narines. Si des pensées surgissent, laissez-les repartir aussitôt, sans leur accorder d'importance, sans les juger, sans les évaluer. Restez ancré dans le moment présent et appréciez pleinement cet instant, tout en fixant votre attention sur votre respiration. Inspirez. Expirez.

LES BIENFAITS DU CURCUMA

Adib cuisine avec le curcuma, une épice hors du commun, dotée de puissantes propriétés anti-inflammatoires et anticancéreuses. Des travaux récents suggèrent que ces propriétés pourraient être attribuables à la transformation de son élément actif, la curcumine, par certaines bactéries de la flore intestinale.

Source: Dr Richard Béliveau, www.richardbeliveau.org

CHAPITRE 5

ANICK DUMONTET

Atteindre sa silhouette idéale

Anick Dumontet a tout pour elle, tant la beauté que la minceur. Mais malgré les apparences, elle se classe dans la catégorie des « fausses minces » de sorte qu'elle ressentait le besoin de camoufler certaines parties de son corps.

D'ailleurs, des tests tels que la prise du pourcentage de gras et les mensurations spécifiques ont confirmé que son taux de gras était effectivement trop élevé. Anick souhaitait affiner sa taille et réduire le surplus au niveau des hanches et du bas du dos. Souvent, ces zones d'accumulation sont la résultante d'une réponse à l'insuline plus ou moins efficace. Qu'elle me confie avoir la dent sucrée depuis toujours confirmait mes doutes.

Il fallait restructurer sa diététique et greffer à son mode de vie un protocole nutraceutique qui allait permettre de stimuler des réponses métaboliques spécifiques telle une meilleure réponse à l'insuline et, conséquemment, une réduction des gras dans cette zone.

Anick est représentative de toutes ces femmes qui n'osent consulter parce qu'on leur répète qu'elles sont minces alors que, malgré les apparences, leur taux de gras est élevé. Elles peuvent facilement dissimuler ces zones de dépôt de gras sous des vêtements qui les avantagent. Lorsqu'elles souhaitent agir pour contrer ce problème, elles sont souvent critiquées par leur entourage : on leur reproche d'en demander trop. Après tout, elles ont l'air minces ! En fait, pour avoir rencontré plusieurs de ces femmes dans mon bureau, je constate qu'elles se préoccupent généralement de leur état de santé, tout en améliorant leur vraie silhouette… à nu.

— Martin —

« JE PANIQUAIS CAR
JE CONSIDÉRAIS QUE,
COMME L'UNIVERS, J'ÉTAIS
TOUJOURS EN EXPANSION !

Témoignage d'Anick Dumontet

Tiraillée par la faim

À l'hiver 2013 lorsque j'ai consulté Martin, je paniquais car je considérais que, comme l'univers, j'étais toujours en expansion! C'est à la télé que j'avais entendu parler de Martin. Ça m'a inspirée. Je suis tout à fait consciente de ne pas avoir de problème de poids, mais j'avais envie d'être bien dans ma peau, ce qui est quelque chose de tout à fait personnel à chaque individu. En tant que femme, je ne suis pas obsédée par la minceur. Je n'ai jamais été ultra maigre, mais j'ai toujours porté une attention spéciale à mon alimentation. Si je déborde de mes pantalons, ça me rend malheureuse. Lorsque je sens que j'ai perdu le contrôle, je me sens mal. J'ai fait appel à Martin car j'avais besoin d'un coach qui allait me donner la discipline requise pour me reprendre en main. Je me trouvais alors dans une zone de dérapage. Je ne sais trop pourquoi, j'avais toujours le nez dans le garde-manger. Je n'arrivais plus à reconnaître les signaux de faim ni à distinguer si j'avais vraiment besoin de manger ou si c'était de la pure gourmandise. Je mangeais quasiment à chaque heure! Comme je passe beaucoup de temps chez moi, je peux constamment fouiller dans le réfrigérateur ou dans le garde-manger si je le veux. Était-ce lié à une période de ma vie trop chargée? Je l'ignore. J'avais traversé plusieurs événements significatifs ces dernières années et je crois que, pour vaincre le stress, je trouvais un certain réconfort dans mon garde-manger. Quoi qu'il en soit, j'avais le sentiment d'avoir perdu le contrôle et je n'arrivais plus à me discipliner. J'avais besoin d'aide. Je ne voulais pas faire un régime, je voulais entendre quelqu'un me dire: « Anick! Arrête de manger des biscuits! » (rires)

> J'AI FAIT APPEL À MARTIN CAR J'AVAIS BESOIN D'UN COACH QUI ALLAIT ME DONNER LA DISCIPLINE REQUISE POUR ME REPRENDRE EN MAIN.

Sans jugement aucun

J'avais besoin des conseils d'un spécialiste qui allait m'aider à établir un *modus vivendi*. Martin était tout à fait désigné. Outre ses compétences, c'est un homme sympathique, drôle et facile d'approche. Il a travaillé tant avec « monsieur et madame tout-le-monde » qu'avec des athlètes de haut niveau. Il sait écouter, quel que soit le problème. Lorsque je suis entrée dans son bureau, je lui ai demandé immédiatement de ne pas me juger… Ce commentaire l'a fait rire aux éclats! Avec lui, tout se passe dans la simplicité. Ses conseils m'ont permis de me ressaisir à un moment de ma vie où j'avais perdu le contrôle. Mon intention était d'atteindre le poids désiré pour me sentir mieux dans ma peau.

Un métier d'image

Pour la majorité des gens, entendre leur voix sur un répondeur ou se voir dans une caméra vidéo, c'est embarrassant. Ils se montrent critiques envers ce qu'ils entendent et/ou ce qu'ils voient. Or, je fais un métier d'image et je suis la première à examiner de près mon travail. Il m'arrive de ne pas aimer ce que je vois. C'est vrai qu'on est généralement critique envers avec soi-même— j'en conviens. Mais parfois, c'est d'une telle évidence : l'heure de se reprendre en main se met à sonner. Pendant des décennies sinon des siècles, le comportement des femmes qui soignaient leur apparence était perçu comme étant de la vanité. Aujourd'hui, on valorise le fait de s'occuper de soi. Après tout, prendre soin de soi, c'est d'abord prendre soin de sa santé. Le poids idéal, c'est personnel à chacun : c'est celui qui fait en sorte qu'on puisse se sentir bien dans sa peau. Pour ma part, après une grossesse, je suis fière d'enfiler mon maillot pour me baigner avec mon fils.

LES FEMMES ET L'APPORT SUFFISANT EN PROTÉINES

J'ai augmenté mon apport en protéines à tous les repas. Apparemment, la difficulté d'en manger suffisamment est souvent associée au sexe féminin. Le fait de ne consommer qu'une salade à titre de repas est une erreur à éviter. En vieillissant, notre masse musculaire tend à fondre si l'apport en protéines n'est pas suffisant. Il faut donc s'assurer d'un apport en protéines au déjeuner, au dîner, au souper de même qu'au moment des collations. Je mange cinq fois par jour et, chaque fois, j'inclus une protéine à mon repas ou à ma collation.

Des femmes de type « pomme »

Lorsque je regarde les femmes dans ma famille, je peux me projeter dans le futur. Ma mère et mes tantes sont toutes bâties selon le même gabarit. Le constat est le suivant : pas de problèmes de cuisses fortes ni de culotte de cheval ou de fesses rondes. Tout se joue au niveau de la poitrine et du ventre qui ont tendance à prendre de l'expansion au fil des ans. Plus étonnant encore, ces femmes ont toutes été minces par le passé. Il semblerait qu'à un moment dans la vie des femmes, après avoir eu des enfants et à l'approche de la ménopause, le corps change. Je voulais faire de la prévention afin d'éviter un surplus de gras se logeant sous le nombril et ne plus pouvoir m'en débarrasser. Comme le dit si bien le proverbe : « Mieux vaut prévenir que guérir. »

Gras et maladies liées

Martin m'a fait comprendre que malgré ma silhouette, je suis une « fausse mince ». J'avais l'air mince, mais quand mon pourcentage de gras a été évalué, les chiffres parlaient d'eux-mêmes. Dans ma famille, plusieurs souffrent ou ont souffert de maladies du cœur. Mon grand-père en est décédé ; ma grand-mère en a souffert et mon père a eu plusieurs stimulateurs cardiaques ou « pacemaker ». L'historique médical est éloquent. On dit par ailleurs que le pire gras pour favoriser les maladies cardiovasculaires est celui qui se loge à l'abdomen. Perdre du gras a donc été bénéfique pour mon cœur... et pour ma tête.

100 desserts par année

Martin m'a permis d'acquérir une bonne discipline, tout en m'accordant le droit de me faire plaisir occasionnellement. Je peux manger du dessert, deux à trois fois par semaine. Pour quelqu'un qui a la dent sucrée comme moi, c'est parfait ! En faisant un petit exercice de calcul, on découvre que sur douze mois, cela représente une centaine de desserts. Avec 100 desserts permis durant l'année, je ne peux pas me plaindre... Puisqu'on reconnaît scientifiquement qu'il faudrait réduire notre consommation de sucre, je suis donc gagnante sur tous les tableaux.

MON ALIMENTATION AU QUOTIDIEN

DÉJEUNER

Un œuf complet et un blanc d'œuf cuits, accompagnés de légumes au choix. J'aime bien les œufs brouillés avec des piments forts et j'ajoute une tomate en accompagnement. Si je suis bousculée par le temps, je rehausse le goût de mes œufs avec de la salsa maison. C'est tellement bon !

Collation

Un fruit et une petite poignée d'amandes, soit 6 au total. Je ne limite pas ma quantité de fruits. Je peux manger une pomme ou l'équivalent d'une portion de fruits. De toute façon, on n'engraisse pas à manger des raisins...

DÎNER

Quatre onces d'une protéine au choix (poulet, bœuf, crevettes, poisson blanc ou saumon) accompagnée de légumes. J'adore manger des feuilles de pissenlits à l'italienne. Je les fais bouillir rapidement, environ 4 minutes puis, j'ajoute un filet d'huile d'olive, du jus de citron et du poivre. Ça ressemble aux épinards bouillis. C'est un véritable délice !

Collation

Un fruit ou des légumes à volonté (ex.: des carottes et du céleri) et une petite poignée de noix de cajou. Encore une fois, personne n'est devenu obèse en mangeant des crudités. Dans un yogourt grec nature accompagné d'un fruit, j'ajoute parfois une cuillère à thé de sirop d'érable ou de beurre d'arachides ou même de Nutella.

SOUPER

Quatre onces d'une protéine (poulet, bœuf, crevettes, poisson blanc ou saumon) accompagnée de légumes.

Collation

Je mange un yogourt grec nature et sans gras, si je n'en ai pas mangé durant la journée. Si j'ai vraiment faim, je me fais un shake de protéines (isolats de lactosérum) à base de lait d'amandes non sucré au chocolat. C'est délicieux !

PARFUMER SON EAU

On ne le répétera jamais assez : boire de l'eau est essentiel. J'avais beau savoir que c'est bon pour la santé, j'avais de la difficulté à atteindre les quantités recommandées jusqu'à ce que je découvre ce petit truc : parfumer son eau. Dans un pichet d'eau, on peut ajouter ce qu'on veut : lime, citron, agrumes ou même 2 onces de jus de canneberges non sucré. C'est délicieux et rafraîchissant. J'ai découvert que souvent, quand on a l'impression d'avoir faim, on a plutôt soif. Boire aide donc à tromper sa faim.

Le truc d'Anick

Variez vos protéines. Ainsi, on se lasse moins de suivre cette stratégie alimentaire. En prime, c'est bon pour le corps de pouvoir puiser ses ressources dans des protéines différentes.

Les féculents

Je ne mange pas de pain, de pommes de terre ni de pâtes, sauf lorsque je m'autorise à manger ce que je veux. Dans ce cas, je peux manger un spaghetti accompagné d'un pain et d'un dessert tiramisu. Je pourrais manger la baguette au complet si je le voulais ! Ça fait partie des gâteries que je peux m'autoriser une fois par semaine. Lors des soupers entre amis ou en famille, je profite de la vie. Déroger occasionnellement de ma stratégie alimentaire me fait un bien énorme. Et je sais maintenant que l'important, c'est d'y revenir.

Les Oméga-3

Sur la recommandation de mon médecin, j'ai commencé à prendre des Oméga-3 après avoir donné naissance à mon fils, Simon. Lorsque je suis devenue maman, j'ai constaté que j'avais des pertes de mémoire. J'avais de la difficulté à me concentrer. J'ai appris que durant la grossesse, la mère cède beaucoup de ses Oméga-3 à son bébé. C'est comme si j'avais donné tout ce que j'avais de meilleur à Simon. Consommer des Oméga-3 m'a fait grand bien. Par la suite, c'est Martin qui m'a rappelé l'importance d'en consommer quotidiennement. J'en ressens les bienfaits. J'ai constaté que ça apaise, ce qui en fait un supplément de choix pour les gens stressés.

INDICE GLUCIDES

LA RECETTE D'ANICK

RÔTI DE PALETTE À L'OIGNON ET À LA MOUTARDE

PORTIONS **8**

INGRÉDIENTS

2 c. à soupe de moutarde à l'ancienne
2 c. à soupe de moutarde de Dijon
½ sachet de soupe à l'oignon de 55 g
1 c. à soupe de beurre ramolli
1 c. à soupe d'huile d'olive
2 c. à thé de feuilles de thym frais, hachées
900 g de rôti de palette de bœuf désossé

Accompagnement

40 choux de Bruxelles
40 petites carottes du jardin

PRÉPARATION

1. Préchauffez le four à 350 °F.
2. Dans un bol, mélangez les deux moutardes avec la moitié du sachet de soupe à l'oignon, le beurre et le thym.
3. Dans un poêlon, chauffez l'huile à feu moyen et saisissez le rôti de 1 à 2 minutes de chaque côté.
4. Déposez la viande sur une grande feuille de papier aluminium et badigeonnez-la généreusement avec la préparation à la moutarde. Pliez la feuille de manière à former une papillote hermétique et mettez dans un plat allant au four.
5. Cuire au four de 2 heures à 2 heures 30 minutes, jusqu'à ce que la viande se défasse facilement à la fourchette.

Servir avec 5 choux de Bruxelles par portion.

VALEUR NUTRITIVE PAR PORTION		
Calories	→	243,3
Matières grasses	→	9,1 g
Glucides	→	12,3 g
Protéines	→	29,2 g

Les conseils de Martin

Les bienfaits des Oméga-3

Les Oméga-3 provenant de source végétale (acide alpha-linolénique) ou d'origine animale (acide docosahexaénoïque ou ADH et acide eicosapentanoïque ou AEP) sont considérés comme des acides gras essentiels. Puisqu'ils ne peuvent être produits par l'organisme, il faut en consommer par le biais de notre alimentation quotidienne. Le fait d'augmenter sa consommation en acides gras essentiels de la famille des Oméga-3 ne comporte que des avantages puisqu'ils jouent plusieurs rôles au sein de l'organisme.

Leur propriété anti-inflammatoire n'est certes pas négligeable, tout comme celle d'agent impliqué au niveau de l'élasticité des cellules. On leur prête plusieurs autres bienfaits, notamment sur le plan cardiovasculaire, au niveau des systèmes tégumentaires (cheveux, ongles, peau) et osseux (articulations). Ils permettent d'optimiser les fonctions cognitives (mémoire, langage, raisonnement, intelligence, acquisition des connaissances, résolution de problèmes, prise de décision, etc.) et de stabiliser l'humeur. Enfin, les Oméga-3 interviennent dans le processus de perte de poids.

OÙ TROUVER LES OMÉGA-3

On les trouve naturellement dans les poissons gras tels que le maquereau, le saumon, le thon, le hareng et les sardines. Ils sont particulièrement présents dans l'huile et les graines de lin et de chanvre, ainsi que dans l'huile de canola (colza) et de soya sous forme d'acide alpha-linolénique. Il est donc recommandé de manger du poisson 2 à 3 fois par semaine et de consommer régulièrement des graines de lin ou de chanvre. Les suppléments d'Oméga-3 qui sont à base d'huile de poisson en gélules ou liquide sont également une alternative intéressante.

La problématique de la personne de type « pomme » et de celle de type « poire »

L'embonpoint en forme de « pomme » (obésité androïde) signifie que les graisses s'accumulent de préférence au niveau du ventre, près de la poitrine et autour du cou. Ces graisses dites « viscérales » enveloppent les organes vitaux et, selon les dires des médecins, augmentent le risque d'infarctus, d'accident vasculaire cérébral et de diabète de type 2.

L'obésité de type « pomme » touche généralement les hommes bons vivants, les amateurs de « fast food » et les adeptes de sédentarité. Elle résulte entre autres d'une sécrétion accrue de cortisol (hormone du stress), d'une diminution du taux de testostérone « active » et d'une transformation (aromatisation) des androgènes (hormones masculines) en œstrogènes (hormones féminines). Les obèses « pommes » souffrent souvent d'hypertension artérielle, d'essoufflement à l'effort et d'hyperlipidémie (taux accru de cholestérol et de triglycérides sanguins).

On parle de l'adiposité en forme de « poire » (obésité gynoïde) lorsque les graisses s'installent sur les hanches, les fesses et les cuisses formant « la culotte de cheval » ou descendent jusqu'aux chevilles causant « le pantalon de zouave ». Ces surplus sont moins dangereux pour les organes vitaux. Cependant, ils fragilisent les articulations du bas du corps (hanches, genoux) et affectent le retour veineux provoquant la sensation des jambes lourdes.

L'obésité de type « poire » touche essentiellement les femmes. Elle résulte de l'influence des œstrogènes (hormones féminines) qui stimulent la multiplication ciblée des cellules graisseuses. De nombreux polluants chimiques (xénœstrogènes) issus de pesticides, de téflon, d'aérosols, de bouteilles en plastique, de colles, etc. agissent de la même manière que les hormones féminines naturelles. Ils sculptent involontairement le corps des dames de formes trop généreuses. Localisée autour des organes génitaux, cette graisse est rebelle aux restrictions caloriques. Rien d'étonnant, car elle doit fournir un apport énergétique « de secours » pour une grossesse ou un allaitement et ne sera utilisée qu'en dernier recours, en phase ultime d'un long régime strict.

Les obèses « pommes » maigrissent plus facilement que ceux de type « poire ». En effet, les membranes des cellules graisseuses sont « équipées » de récepteurs spécifiques : « alpha-adrénergiques » et « bêta-adrénergiques ». Ce sont des sortes de clés qui permettent à des molécules graisseuses d'être stockées ou d'être libérées selon les besoins énergétiques du corps. Localisés de préférence au niveau de la ceinture abdominale des obèses « pommes », les récepteurs « bêta-adrénergiques » commandent la libération des dépôts graisseux accumulés. De par leur stimulation, les poignées d'amour répondent plutôt bien à l'exercice physique avec des résultats visibles et assez rapides. Régissant en maître les zones « stratégiques » (hanches, fesses, cuisses), les « alpha-adrénergiques », en revanche, donnent l'ordre au stockage des graisses. Ce sont ces récepteurs spécifiques qui représentent l'obstacle à un amincissement des obèses de type « poire ». Leur stimulation nuit à la dégradation des lipides et freine par conséquent la perte de masse graisseuse en dépit d'efforts physiques !

Tel que mentionné antérieurement, le surpoids en forme de « pomme » est plus facile à déloger. Son importance est souvent négligée par les hommes, ce qui peut être catastrophique compte tenu des complications potentielles, lesquelles sont de trois à quatre fois plus fréquentes qu'en cas d'obésité de type « poire ».

Le paradoxe le plus étonnant s'appuie sur le constat suivant : ce sont les femmes, avec leur répartition des graisses en forme de « poire », qui réclament un amaigrissement alors que le risque pour leur santé est plus faible !

Source: NutriLife Blog

Contrôle de l'insuline et taux de sucre dans le sang

Ironiquement, l'insuline demeure l'une des hormones les plus méconnues tout en étant la plus facile à contrôler. Elle est nécessaire au corps afin de lui permettre de développer son énergie; elle intervient dans le processus de gain de masse maigre (muscles) et la perte de masse grasse. L'insuline est une hormone de stockage des gras et cause de l'inflammation dans le corps. Un désordre glycémique, c'est-à-dire une fluctuation du taux de sucre sanguin, peut mener à une résistance à l'insuline et devenir éventuellement un diabète. Stabiliser la glycémie permet de prévenir cette maladie, assure une meilleure énergie et demeure le paramètre essentiel à maitriser en matière de perte de poids. Pour ce faire, une alimentation réduite en glucides et répartie durant la journée sera salutaire. La règle est la suivante : on consomme au maximum 20 à 30 grammes de glucides aux repas et 10 à 20 grammes de glucides aux collations.

Les suppléments d'Anick

Pour soutenir Anick dans l'atteinte de ses objectifs, je lui ai proposé *Insulino Control*, un produit de la famille des nutraceutiques. Il favorise la stabilité glycémique, permet une réduction de l'effet inflammatoire de l'insuline et joue le rôle de stabilisateur de l'appel des sucres en diminuant l'attrait pour les aliments sucrés. Avec le support de spécialistes de la firme Control Lab, j'ai élaboré cette formule afin de répondre à un besoin de plus en plus pressant attribuable à la surconsommation de glucides dans la population en général. Je lui ai aussi proposé de consommer des Oméga-3 à raison de 15 grammes par jour ainsi que des multivitamines et des minéraux afin de maîtriser l'hyperacidité.

Vrai ou faux : les femmes perdent leur masse musculaire et leur masse osseuse en vieillissant ?

Vrai. Le déclin hormonal chez la femme, c'est-à-dire la diminution de l'œstrogène et de la progestérone, favorise le gain de masse grasse. Ce phénomène est aussi présent chez l'homme, mais s'avère plus apparent chez la femme. Cette perte de masse musculaire s'accompagne aussi d'une perte de masse osseuse en vieillissant.

CONTRER LA PERTE DE TONUS MUSCULAIRE

Certaines femmes me consultent parce que, avec le temps, elles perdent du tonus musculaire à cause du processus normal et naturel de vieillissement. Leur ratio gras/muscles s'en trouve modifié, le pourcentage de gras allant en augmentant. Leur apparence demeure sensiblement la même si elles portent un jeans ou un vêtement qui les avantage. Par contre, lorsqu'elles sont nues, leur corps révèle ce manque de tonus de même que le gain de gras localisé à certains endroits stratégiques. Leurs avantages métaboliques ou génétiques disparaissent avec le temps. Il faut d'abord ajuster leur alimentation puisqu'en perdant du muscle, leur corps répond de moins en moins à leur alimentation habituelle. On peut stimuler cette réponse corporelle par des changements alimentaires, c'est-à-dire en consommant moins de glucides et plus de protéines. De plus, grâce à l'ajout de suppléments alimentaires ou nutraceutiques destinés à stimuler certains métabolismes, on arrive à détoxiquer le corps de ses œstrogènes, à améliorer la circulation sanguine et lymphatique ou encore à améliorer les métabolismes en lien avec la perte de poids.

LA PLUPART DU TEMPS, **LE SIGNAL DE LA FAIM** PEUT ÊTRE INHIBÉ PAR LE SIMPLE FAIT DE BOIRE DE L'EAU.

Les signaux de la faim : comment les distingue-t-on de la gourmandise ?

Difficile à jauger... Mais si vous avez mangé vos trois repas principaux durant la journée de même qu'une à deux collations et bu suffisamment d'eau, il est peu probable que ce creux soit un véritable signal de faim. C'est probablement plus de la gourmandise. Contrairement à ce qu'on pourrait croire, les gens qui mangent régulièrement durant la journée sont beaucoup moins gourmands. La plupart du temps, le signal de la faim peut être inhibé par le simple fait de boire de l'eau.

Affiner sa taille sans faire d'exercice, est-ce possible ?

Oui, c'est possible. C'est sur l'alimentation, la nutrition et la nutraceutique que reposent près de 80 % du succès en perte de poids.

LE POURCENTAGE DE GRAS NORMAL CHEZ LES HOMMES ET LES FEMMES

Le pourcentage de graisse idéal varie pour chaque individu en fonction de différents facteurs tels que le type morphologique, son hérédité, son âge, le type d'activité qu'il pratique et ses habitudes alimentaires.

D'une manière générale, le pourcentage de gras chez l'homme devrait se situer entre 13 et 18 %, idéalement entre 10 et 12 %. Chez les hommes de plus de 40 ans, ce pourcentage devrait avoisiner les 15 %.

Chez la femme, le pourcentage de gras devrait se situer entre 18 et 35 %, idéalement entre 20 et 25 %. Après 40 ans, ce pourcentage devrait se situer entre 25 et 32 %.

Source: Bootcamp Athletic Training

CHAPITRE 6

FRANÇOIS MORENCY

Rester performant malgré des horaires irréguliers

François s'entraînait depuis un moment lorsqu'il a fait appel à mes services parce qu'il manquait d'énergie. Il exerce un métier exigeant et compétitif.

Pour lui, rester performant et tout mettre en œuvre pour le demeurer à long terme s'avéraient primordial. Il fallait donc trouver le moyen de stabiliser son niveau d'énergie malgré des horaires qui varient constamment. C'est un athlète de la scène. Avant de signer un contrat, il s'assure toujours de pouvoir l'honorer au meilleur de ses capacités. Pour l'aider à atteindre ses objectifs, j'ai augmenté son apport en protéines et je lui ai suggéré de consommer un supplément d'aliments verts.

— *Martin* —

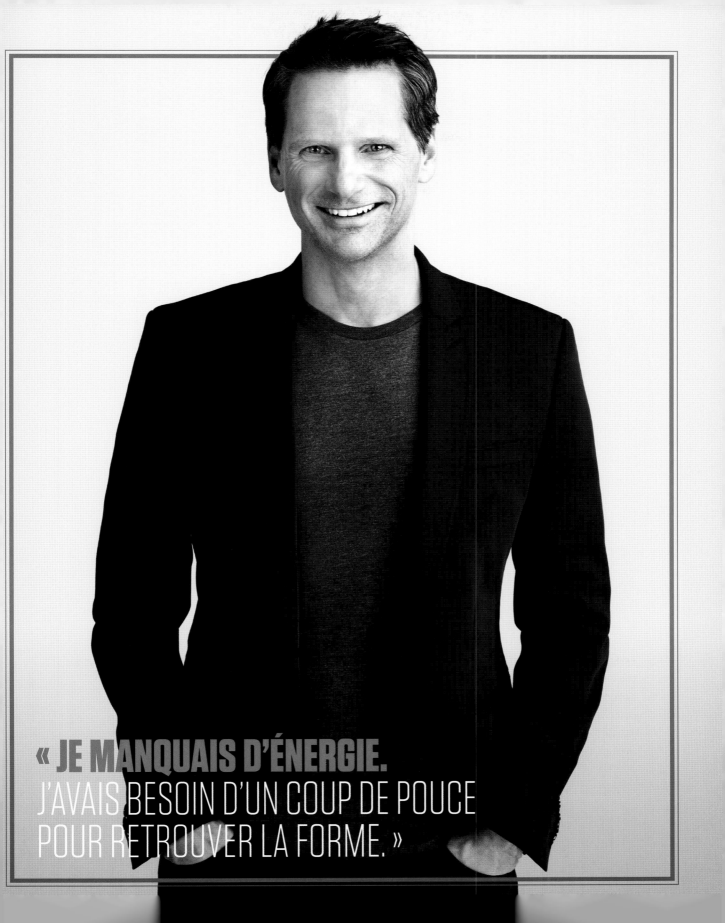

« JE MANQUAIS D'ÉNERGIE. J'AVAIS BESOIN D'UN COUP DE POUCE POUR RETROUVER LA FORME. »

Témoignage de François Morency

En manque d'énergie

Il y a une dizaine d'années, je m'entraînais au *Pro Gym* où Martin a sa clinique lorsqu'on m'a suggéré de le consulter. Je cherchais quelqu'un vers qui me tourner. J'accumulais différentes informations sur la santé, sur ce qu'il fallait faire ou non. Mais comment savoir si elles étaient adéquates pour moi? Le métabolisme de chacun est différent. Notre mode de vie et notre manière de gérer notre stress font de nous des êtres distincts. L'heure était venue pour moi de consulter un professionnel qui allait me donner des conseils personnalisés à partir de tous les éléments significatifs: morphologie, sommeil, entraînement, alimentation. Avec Martin, je me suis senti en confiance. Il a su m'écouter et adapter ses suggestions selon mes besoins et ma réalité. À cette époque, j'avais un horaire professionnel particulièrement chargé. Je manquais d'énergie. J'avais besoin d'un coup de pouce pour retrouver la forme.

Anémie et hyperacidité

D'entrée de jeu, il m'a proposé de dresser un bilan exhaustif, lequel a révélé que j'avais une carence en fer, mais sans avoir un problème sérieux d'anémie. J'avais aussi tendance à l'hyperacidité. J'ai toujours cherché des alternatives à la médecine traditionnelle et j'étais réceptif à l'idée d'explorer d'autres avenues. J'ai expérimenté, entre autres, l'acupuncture et l'ostéopathie. Depuis mon plus jeune âge, je me suis intéressé à la santé. J'étais fasciné par les résultats qu'une saine alimentation et une supplémentation adéquate pouvaient avoir sur le corps.

© Marie-Claude Perron

SUR LA ROUTE

L'enjeu était de trouver un style de vie compatible avec mes horaires. J'avais besoin de paramètres sur le plan alimentaire, savoir quoi éviter ou privilégier, et ce, même dans des conditions exceptionnelles. Par exemple, si je travaille en région et que je sors de la salle de spectacle à 23 h, il n'est pas toujours possible de trouver un restaurant ouvert à une telle heure, mis à part les restos de «fast food». Je n'ai pas accès à un poêle ni à une casserole. Je dois planifier et prévoir en conséquence. Je m'organise maintenant pour être prêt à faire face à toutes les éventualités. J'apporte avec moi des amandes, des V-8, de la poudre de protéines. Lorsque c'est possible, je peux prévoir des plats de viande et de légumes que j'ai déjà préparés à la maison. Je ne peux pas et ne veux pas être dépendant de la pizzeria du coin. Je dois faire en sorte d'établir une régularité à travers mes horaires changeants. Je ne mange pas nécessairement aux mêmes heures: mes repas sont planifiés en fonction de mon heure de réveil et de mes engagements.

Quand tout passe par la nourriture

Lorsque j'étais au secondaire, sans être obèse, j'étais disons « enrobé ». Je viens d'une famille où tout passe par la nourriture. La bouffe, c'est très émotionnel. Ma mère cuisinait plus que nécessaire et, chez nous, tout était sucré. Nous mangions même du dessert au petit déjeuner ! Au sein de ma famille, on compte quelques cas de diabète : je suis donc potentiellement candidat pour développer cette maladie. Pour ces raisons, surveiller mon alimentation fait partie de mon hygiène de vie. En consultant Martin, je voulais savoir ce que je devais faire pour que globalement ma santé soit meilleure et, par ricochet, que l'ensemble de ma vie soit plus facile. Je ne voulais pas me sentir limité : je voulais pouvoir faire tout ce dont j'avais envie et demeurer productif.

> ## JE VOULAIS SAVOIR CE QUE JE DEVAIS FAIRE POUR QUE MA SANTÉ SOIT MEILLEURE ET QUE L'ENSEMBLE DE MA VIE SOIT PLUS FACILE.

Des horaires irréguliers

Mes horaires varient énormément selon mes projets. Lorsque je suis en spectacle, par exemple, je me couche particulièrement tard et je n'arrive pas à m'endormir avant deux ou trois heures du matin. J'ai parfois une réunion ou un tournage à l'agenda tôt le lendemain : je dois donc être en mesure de remplir mes engagements. J'adore le fait que mes semaines de travail soient toujours différentes... mais le prix à payer est parfois élevé. Mon corps subit les contrecoups d'un horaire changeant. Composer à long terme avec un horaire atypique n'est pas de tout repos.

À l'époque où j'ai consulté Martin, j'animais *Merci Bonsoir* à TVA et c'était particulièrement exigeant. J'entrais à la station à 10 h le matin pour en ressortir onze ou douze heures plus tard. Il me fallait des conseils pertinents pour maintenir mon énergie.

La supplémentation en fer

À cause de ma tendance à l'anémie, je consomme maintenant des suppléments de fer de source naturelle. J'ai appris qu'en combinant le fer à certaines autres vitamines, l'effet peut s'en trouver diminué. Pour cette raison, Martin m'a suggéré d'éviter d'en prendre en même temps que mon supplément de vitamines et de minéraux. La consommation de fer a largement contribué à hausser mon niveau d'énergie.

Plusieurs petits repas

Au lieu de prendre trois gros repas par jour, j'ai appris à manger de plus petits repas et des collations afin d'étaler mon alimentation sur six périodes durant la journée. C'était contraire à tout ce que j'avais appris depuis ma plus tendre enfance, mais je constate les bienfaits de cette solution. J'ai aussi appris à me gâter à l'occasion, à des périodes bien précises plutôt qu'à chaque repas. Mieux vaut se gâter une ou deux fois par semaine en mangeant tout ce qu'on désire que de se faire plaisir un peu à tous les jours. Les effets sont alors moins néfastes et, au niveau psychologique, c'est extrêmement stimulant de savoir que notre journée de permission approche. Je ne suis pas un athlète olympique qui s'impose des restrictions. Il faut que ma stratégie alimentaire soit agréable. Je tiens à me faire plaisir à table. Sur le plan psychologique, c'est beaucoup plus motivant.

Bienfaits et conséquences

Si je déroge de ma stratégie alimentaire, que je ne surveille pas mon alimentation et ne pratique pas de sport, j'en ressens rapidement les conséquences. Elles se manifestent par l'humeur, la concentration, le sommeil et le teint de la peau. Le corps et l'esprit sont reliés. Ma manière de m'alimenter me procure de grands bienfaits et me permet de maintenir un haut niveau d'énergie, de conserver mon poids santé, d'être performant et concentré. Je suis convaincu que ce mode de vie fait une grande différence durant la quarantaine. Les gens me disent souvent que je ne fais pas mon âge et me demandent comment je parviens à avoir autant d'énergie. C'est tout de même révélateur... Je constate que c'est mon mode de vie qui porte ses fruits. L'enjeu pour moi, ce n'est pas tant de vivre particulièrement longtemps, mais d'être en santé le plus longtemps possible. La santé n'est jamais acquise : il faut faire en sorte de la conserver. Je m'organise pour contrôler ce qui peut l'être. Je dois toujours être en forme. Quand 800 personnes ont payé pour me voir en spectacle, je dois « livrer la marchandise ». Seul sur scène, je ne peux m'appuyer sur qui que ce soit. Étant toujours en contact avec les gens, mon système immunitaire se doit de fonctionner de manière optimale. Le stress fait aussi des dommages qu'il faut savoir gérer.

Résister aux sucreries

Le combat que je dois constamment livrer est de résister aux sucreries. J'ai la dent sucrée. Passer devant les étalages de la boulangerie lorsque je fais mon épicerie s'avère une véritable épreuve! C'est un éternel combat: ça m'appelle, comme les sirènes appelaient Ulysse! J'ai énormément de difficulté à refuser une pâtisserie. Je suis tellement «gaga du sucre» que j'en perds le contrôle. Une personne normale achète une boîte de biscuits et en mange un ou deux par jour. Moi, quand j'en achète, c'est un carnage: je vide la boîte en 20 minutes! Je me souviens d'un jour d'Halloween où j'avais acheté des chocolats et des bonbons pour les enfants, mais personne n'était venu sonner à ma porte. J'avais tout mangé... J'ai appris à mieux gérer mon attrait pour le sucre en achetant des sucreries uniquement lorsque je choisis de me gâter. Sinon, je n'en garde jamais à portée de main. Mon raisonnement est simple: si je n'en ai pas à la maison, je ne peux pas en manger.

Des alternatives saines

Lorsque j'ai des envies de sucre, je mange des fruits. Quelques raisins verts peuvent suffire à satisfaire mon envie de sucre... sans dommages.

Le truc de François

Je ne fais jamais mon épicerie lorsque j'ai faim. Mon expérience m'a appris que les envies peuvent prendre le pas sur la raison. Quand on a bien mangé au préalable, il est plus facile de résister.

LES BIENFAITS DES JUS

Ma mère m'a offert un extracteur à jus lorsque j'ai quitté la maison. Depuis, je m'en sers régulièrement. J'ai de la difficulté à manger des légumes cuits. Je les préfère crus ou en jus et je consomme ainsi plusieurs portions. Ne pas cuire les légumes permet d'en préserver les nutriments.

VALEUR NUTRITIVE PAR PORTION		
Calories	→	109,1
Matières grasses	→	0,8 g
Glucides	→	28,6 g
Protéines	→	2,8 g

INDICE GLUCIDES

LA RECETTE DE FRANÇOIS

UN JUS DE LÉGUMES SANTÉ

On peut mélanger des légumes au choix et au gré de ses inspirations. Le jus que je vous propose, c'est mon classique.

PORTIONS **2**

INGRÉDIENTS
1 concombre avec la peau
4 branches de céleri
3 carottes
1 citron avec la peau
1 pomme verte

PRÉPARATION
1. Lavez soigneusement les légumes et les passer à l'extracteur à jus.
2. Versez dans deux verres et dégustez.

Le point de vue de Martin

Les suppléments d'aliments verts

Afin de rehausser son énergie, j'ai suggéré à François de consommer une portion de suppléments d'aliments verts tous les matins. Les suppléments d'aliments verts sont des aliments déshydratés et concentrés en nutriments : algues (spiruline), jeunes pousses de céréales (blé) ou de légumineuses (luzerne), légumes, fruits, graines, fibres, plantes médicinales, extraits de plantes et divers autres ingrédients. Ces formules parfois nommées « alicaments » ont pour objectif de fournir une énergie cellulaire optimale, d'augmenter la vitalité organique, d'assurer une meilleure récupération de même qu'une plus grande résistance au stress. On peut se procurer ces suppléments dans les magasins de produits naturels.

Un conseil

On doit idéalement privilégier les formules d'aliments verts qui contiennent de la spiruline et de la chlorelle à titre d'agents détoxifiants.

Les aliments acidifiants et les aliments alcalins

Voici un résumé facile à retenir concernant les groupes alimentaires acidifiants et alcalinisants. Afin que le corps fonctionne normalement sans surplus d'acidité ou d'alcalinité, il faudrait consommer environ 60 % d'aliments alcalinisants et 40 % d'aliments acidifiants. Ces deux groupes d'aliments sont nécessaires à l'équilibre du corps.

GROUPE D'ALIMENTS MAJORITAIREMENT ALCALINS	GROUPE D'ALIMENTS MAJORITAIREMENT ACIDES
→ Fruits → Légumes → Épices et fines herbes → Amandes et graines	→ Viandes et substituts (sauf noix et graines) → Laits et substituts → Pains et substituts → Produits transformés et desserts → Boissons contenant de la caféine → Alcool

Source:
The *Acid-Alkaline Food Guide*. A quick reference to foods & their effect on pH levels. Dr. Susan E. Brown and Larry Trivieri Jr. SquareOne Publishers, États-Unis, 2006.

Les horaires atypiques

Maintenir l'énergie en dépit des horaires atypiques représente un défi pour bien des travailleurs. Certains composent avec des horaires rotatifs; d'autres travaillent de nuit. Des études ont démontré que les heures de pointe ne surviennent plus à 7 h, mais à 6 h du matin. On prévoit que d'ici cinq ans, l'heure de pointe débutera à 5 h du matin. Un grand nombre de gens devront donc se lever aux aurores en raison de leur travail. Nous en sommes actuellement à modifier nos habitudes pour nous adapter à de nouveaux phénomènes dont l'impact sur notre mode de vie est considérable.

Les cycles de notre métabolisme

Nous sommes métaboliquement programmés selon des cycles circadien (cycle de 24 heures) et nycthéméral (cycle jour/nuit). Si nous dévions de ces rythmes, nous en payons le prix essentiellement par une baisse d'énergie, un manque de concentration et une atteinte au système immunitaire. Je recommande aux gens de toujours privilégier ces rythmes pour lesquels nous sommes programmés. Si l'équilibre devient difficile à maintenir (à cause des horaires de travail ou autres raisons), nous élaborons alors une stratégie alimentaire pour pallier les conséquences. Par exemple, il faut s'assurer de prendre un repas dès le lever et de maintenir la cadence au niveau de la prise alimentaire, indépendamment des heures de repas conventionnelles.

Les travailleurs de nuit poursuivent généralement une vie active de jour. Je leur suggère alors de planifier leur sommeil selon leur capacité à dormir durant la journée. Un cycle de sommeil dure environ 90 minutes et le nombre de cycles par nuit peut varier de 4 à 7, selon les personnes. De ce fait, on devrait idéalement privilégier les siestes par bloc de 90 minutes, soit une sieste d'une heure et demie, de trois heures ou de quatre heures et demie. En arrivant à la maison le matin, on peut effectuer une première sieste, se lever pour vaquer à ses occupations et se recoucher pour faire une seconde sieste. Idéalement, il faudrait ainsi atteindre 6 à 8 heures de sommeil durant la journée.

AFIN QUE LE CORPS FONCTIONNE NORMALEMENT SANS SURPLUS D'ACIDITÉ OU D'ALCALINITÉ, **IL FAUDRAIT CONSOMMER ENVIRON 60 % D'ALIMENTS ALCALINISANTS ET 40 % D'ALIMENTS ACIDIFIANTS.**

ON DEVRAIT PRIVILÉGIER LES SIESTES PAR BLOC DE 90 MINUTES, SOIT UNE SIESTE D'UNE HEURE ET DEMIE, DE TROIS HEURES OU DE QUATRE HEURES ET DEMIE.

L'hormone du sommeil

La mélatonine ou N-acétyl-5-methoxytryptamine, souvent dénommée « hormone du sommeil », est surtout connue comme étant l'hormone centrale de régulation des rythmes chronobiologiques car synthétisée surtout la nuit. Elle régule beaucoup de sécrétions hormonales chez l'humain et chez tous les mammifères. Cette hormone favorise l'atteinte du sommeil et, surtout, la phase paradoxale (sommeil lent et profond). Durant cette phase, nous sécrétons l'hormone de croissance qui permet de régénérer notre organisme. C'est aussi durant cette phase que le corps récupère au niveau cognitif (le savoir et les connaissances). Notre cerveau met en mémoire certaines informations importantes et évacue celles qui le sont moins. Si notre sommeil est trop court en termes de durée ou que les éveils sont trop fréquents (plus de trois fois par nuit), cette phase s'en trouve réduite. Si nous n'avons pas l'occasion de plonger dans la phase du sommeil paradoxal suffisamment longtemps, nous éprouvons plus de difficultés à ajouter de l'information dans notre cerveau. L'humeur ainsi que la force mentale en sont aussi affectées.

Un supplément de mélatonine

Il m'arrive de proposer aux travailleurs de nuit un supplément de mélatonine lors du coucher diurne (de jour) afin d'imiter un sommeil cérébral. Lorsque le cycle de sommeil est perturbé comme chez les travailleurs de nuit, cette hormone est déficiente. Un supplément de mélatonine pourra offrir les mêmes bienfaits que l'hormone sécrétée naturellement par le corps. La mélatonine est offerte en capsules dans les boutiques de produits naturels.

Santé Canada considère la mélatonine comme un « produit de santé naturel ». En vertu des règlements sur les produits de santé naturels et de la Loi sur les aliments et drogues, des normes sont en vigueur depuis 2004 afin de garantir la fiabilité des préparations vendues au Canada.

Source:
Santé Canada. Médicaments et produits de santé.
Produits de santé naturels.

LA CARENCE EN FER

Le fer est un minéral essentiel puisqu'il contribue à la fabrication des globules rouges qui transportent l'oxygène à nos cellules. Sa carence suscite différents symptômes : fatigue, pâleur, étourdissements, maux de tête, extrémités froides, etc. On peut se procurer un supplément de fer dans les magasins de produits naturels. On privilégie les formules liquides aux comprimés qui ont tendance à causer de la constipation. La carence en fer est inhabituelle dans les pays développés, sauf chez les femmes et plus particulièrement celles enceintes. Dans tous les cas, on ne devrait prendre des suppléments de fer qu'après un diagnostic d'anémie ferriprive et sous la surveillance d'un professionnel de la santé.

Le saviez-vous ?

On croit que l'un des principaux facteurs de longévité serait la frugalité, c'est-à-dire manger sobrement et avec simplicité. On suggère pour ce faire de ne pas trop inclure et de ne pas trop exclure non plus.

CHAPITRE 7

MARIO TESSIER

Augmenter sa masse musculaire

Grand sportif de nature, Mario se conformait déjà à une alimentation saine de même qu'à un mode de vie actif. À l'approche d'un des plus grands défis de sa carrière, il souhaitait devenir encore plus performant. En effet, le 27 avril 2013, il devait assumer seul l'animation du *Gala Artis*.

Je lui ai proposé de développer davantage sa masse musculaire tout en stabilisant sa glycémie. Les choses se corsent lorsque j'ai à conseiller un gars comme Mario, et ce, pour une bonne raison : il est parfait ! Comme il semblait sceptique au départ, j'ai dû l'apprivoiser en lui exposant les résultats qu'il pourrait obtenir. Il fallait aussi que je m'adapte à ses horaires de fou. Dans le cadre de ses activités professionnelles, Mario fait preuve d'une rigueur exceptionnelle et ses horaires très chargés en témoignent.

Dès notre première rencontre, j'ai saisi l'enjeu : j'allais devoir faire ce qu'on appelle communément du « fine tuning ».

La stratégie consistait à appliquer des paramètres plus pointus en matière de nutrition afin de réduire son pourcentage de gras pour atteindre des normes plus athlétiques, et augmenter sa masse musculaire. La bonne nouvelle quand on travaille avec un gars de sa trempe : il suit les consignes à la lettre et, en bout de ligne, les résultats parlent d'eux-mêmes.

— Martin —

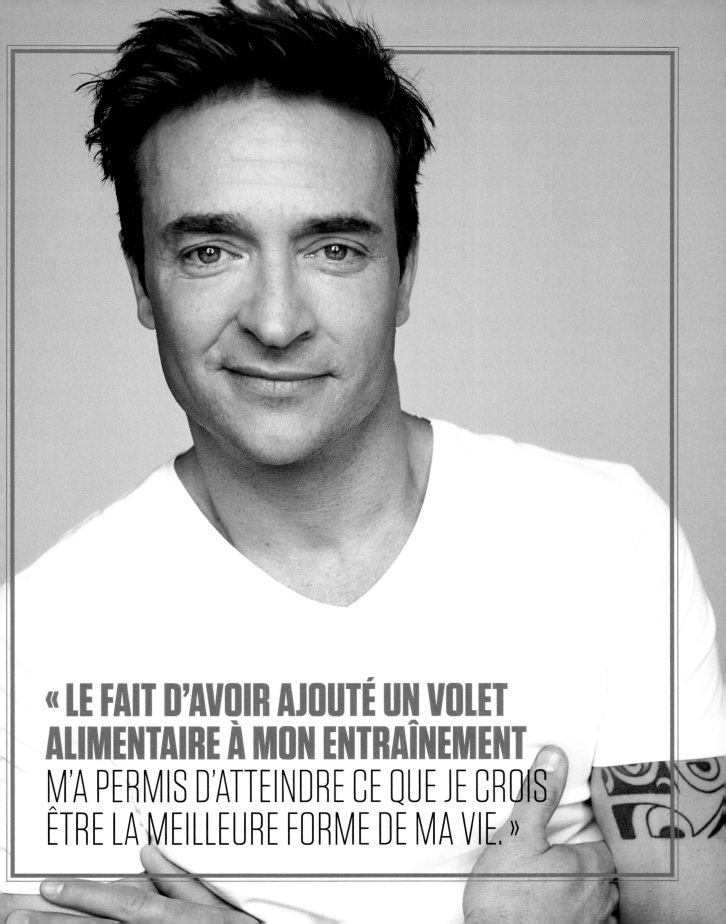

« LE FAIT D'AVOIR AJOUTÉ UN VOLET ALIMENTAIRE À MON ENTRAÎNEMENT M'A PERMIS D'ATTEINDRE CE QUE JE CROIS ÊTRE LA MEILLEURE FORME DE MA VIE. »

Témoignage de Mario Tessier

Sceptique envers cette démarche

C'était la première fois que j'animais le *Gala Artis*. Le producteur a insisté pour que je rencontre Martin. Je savais qu'il avait travaillé avec plusieurs artistes qu'il avait amenés à un niveau d'énergie supérieur. Mais sincèrement, je ne voyais pas du tout en quoi ça pouvait m'être utile. De l'énergie, je croyais en avoir beaucoup et je me demandais comment je pourrais en avoir encore plus. Selon mes standards, je mangeais bien. Je suis un gars en forme et je n'éprouve aucun problème de santé. Même en étant un peu sceptique, j'étais prêt à laisser la chance au coureur. Après tout, qu'avais-je à perdre?

Des conseils adaptés

Grâce à une approche personnalisée, Martin a su s'ajuster à mes besoins et me conseiller en conséquence. Encore aujourd'hui, je suis son programme alimentaire à la lettre. Je mange toujours à ma faim, mais j'ai appris à manger plus souvent, en petites quantités et de bonnes choses. Je m'abstiens de manger du pain, des desserts et des produits laitiers, en m'accordant des repas permissifs deux fois par semaine. Dès le départ, j'avais établi mes limites : il était hors de question que j'arrête de boire de l'alcool. Je suis un amateur de vin et je tiens à profiter de la vie, ce que je fais toujours de trois à quatre fois par semaine. Je ne me sens pas privé et j'y trouve mon compte. Pour adopter et maintenir cette stratégie alimentaire, ça prend de la discipline et de la volonté. Mais ça fonctionne! C'est pour cette raison que je ne crains pas d'en parler à mes amis. Certains ayant quelques livres en trop ont adopté mon alimentation et ont rapidement constaté les résultats : ils ont perdu l'excès de poids dont ils souhaitaient se débarrasser.

GAIN DE MASSE MUSCULAIRE

Mon principal objectif était d'acquérir un peu de masse musculaire et, sur ce plan, j'avais des objectifs bien ciblés. J'ai appris qu'en modifiant mon alimentation, je pouvais augmenter ma masse musculaire et voir mon taux de gras diminuer. Je suis quelqu'un de très discipliné de nature. Comme je l'ai souvent mentionné, j'ai passé quelques années dans l'armée et j'ai le profil du bon soldat. À l'hiver 2012, j'ai commencé à mettre en application les recommandations de Martin. Très rapidement, j'ai constaté les effets : contre toute attente, j'ai ressenti un regain d'énergie notable. Comment était-ce possible? J'étais pourtant en forme... mais je le suis davantage. Je dirais même que je ne l'ai jamais été autant de toute ma vie. Je fais du «CrossFit» de deux à trois fois par semaine, une activité particulièrement intense. C'est une bonne manière pour moi de repousser mes limites et de faire sortir le trop-plein. Je joue au tennis, au golf; je fais du vélo. Le fait d'avoir ajouté un volet alimentaire à mon entraînement m'a permis d'atteindre ce que je crois être la meilleure forme de ma vie.

À MÉDITER
CETTE STRATÉGIE ALIMENTAIRE FONCTIONNE ! COMME JE LE DIS TOUJOURS, SI ON TRICHE, LA SEULE PERSONNE QU'ON TRICHE, C'EST SOI-MÊME...

Une journée type dans ma vie

Si je reviens toujours aux conseils de Martin, c'est parce qu'ils donnent des résultats. Le matin, je mange deux galettes de riz avec du beurre d'amandes, une omelette de trois œufs – soit un œuf complet et deux blancs d'œufs – et une tasse de macédoine de légumes. J'ajoute un peu de sauce soya, un peu de salsa et mélange le tout. En collation, je prévois un fruit avec dix amandes. Pour le dîner, je mange une viande ou un poisson avec une tasse de légumes. Durant l'après-midi, je mange encore un fruit et des amandes. Le soir, je peux manger n'importe quelle viande ou poisson, accompagné de légumes et d'une tasse de riz. En soirée, je mange 200 à 250 grammes de yogourt grec avec un peu de beurre d'amandes. C'est une collation délicieuse et qui me rassasie. Et je bois énormément d'eau, entre autres parce que ça permet de purifier le corps. Pour varier un peu, j'aime bien ajouter des agrumes à mon eau.

Le truc de Mario

J'achète des macédoines de légumes en conserve en quantité industrielle, en format idéal de 250 ml. Lorsque je prépare mon omelette, je n'ai qu'à y ajouter cette macédoine et le tour est joué ! Le soir, si je suis pressé, j'ai aussi recours à ma macédoine. Sinon, je prends le temps de couper mes légumes... c'est encore meilleur. De nos jours, il n'y a aucune raison valable de ne pas manger des légumes : on en trouve au supermarché déjà lavés et coupés. Comme on n'a pas toujours le temps de s'arrêter au supermarché ou de cuisiner de manière élaborée, on peut stocker au congélateur des légumes surgelés qui assureront une réserve pour deux semaines à venir. On n'a qu'à les dégeler et à les servir. Mieux vaut prévoir et s'organiser...

Un clin d'œil

Sincèrement, je trouve qu'on est souvent plus exigeant envers les femmes : on leur demande d'être constamment à leur meilleur alors que bon nombre d'hommes se laissent aller. Pour la forme, pour l'estime de soi et pour retarder le plus possible le processus de vieillissement, on doit agir et se prendre en main.

Le conseil de Mario

Faites du sport ! Bougez ! Dans la vie, nous prenons soin de tout : de notre voiture à l'entretien de nos biens matériels, mais souvent, notre forme physique se retrouve à la dernière place sur la liste de nos priorités. L'entraînement occupe une telle place dans ma vie que j'inscris ces périodes à l'agenda. Une demi-heure par jour pour faire de l'exercice, ce n'est pas énorme même si le mode de vie actuel est plutôt surchargé. Une demi-heure de marche par jour permet de garder la forme et d'oxygéner son corps. Après tout, comme le dit si bien le vieil adage : « Un esprit sain dans un corps sain ». Les gens fatigués sont rarement actifs. De la même manière, quand on croise des gens particulièrement performants, des hauts dirigeants de compagnie par exemple, on remarque qu'ils prévoient à leur agenda des plages horaires consacrées à l'exercice. On ne peut pas performer comme un cheval de course dans toutes les sphères de notre vie si l'on ne s'accorde pas du temps pour faire de l'exercice et n'adopte pas de saines habitudes alimentaires. Les statistiques le prouvent : la combinaison du sport et d'une stratégie alimentaire adéquate est la solution ultime pour perdre du poids, augmenter ses métabolismes et assurer un équilibre hormonal optimal.

INDICE GLUCIDES

LA RECETTE DE MARIO
TARTARE AUX DEUX SAUMONS

PORTIONS **2**

INGRÉDIENTS
300 g de saumon de l'Atlantique,
sans la peau
200 g de saumon fumé
2 c. à thé d'huile d'olive
1 échalote française, hachée finement
2 c. à thé de coriandre fraîche, ciselée
1 ½ c. à soupe de jus de lime
Fleur de sel, au goût
Poivre du moulin, au goût
4 c. à soupe de crème sure
Quelques gouttes de Tabasco vert - sauce au piment jalapeno

PRÉPARATION
1. Hachez finement le saumon de l'Atlantique et le saumon fumé (en dés très fins).
2. Réservez dans un bol.
3. Ajoutez l'huile d'olive, la coriandre fraîche, le jus de lime, la crème sure, le Tabasco et l'échalote. Bien mélanger.
4. Rectifiez l'assaisonnement et servez.

VALEUR NUTRITIVE PAR PORTION		
Calories	→	501,6
Matières grasses	→	30,1 g
Glucides	→	3,9 g
Protéines	→	51,1 g

Les conseils de Martin

Les morphotypes

Il existe un concept largement et essentiellement utilisé en musculation, c'est celui des morphotypes. Ces gabarits permettent de classer les individus en fonction de leurs caractéristiques physiques qui seraient d'origine génétique. Ils déterminent les capacités plus ou moins grandes à devenir musclé ou à ne pas avoir trop de graisse corporelle. Ce concept remontant aux années 1940 est attribuable au psychologue Dr William Sheldon.

À QUEL TYPE APPARTENEZ-VOUS ?

On a identifié trois types d'ossatures. Êtes-vous de type ectomorphe, mésomorphe ou endomorphe ?

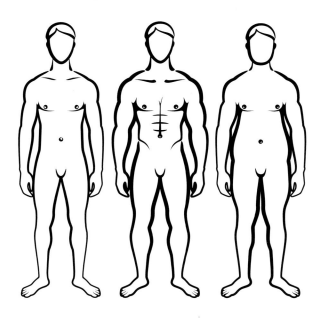

ECTOMORPHE

Le type ectomorphe est actif et de nature nerveuse. Il mange beaucoup sans prendre de poids. Il est plus adapté aux sports d'endurance qu'à la musculation. Il lui sera facile de définir ses muscles et son corps sera esthétique s'il réussit à prendre du muscle. Toutefois, ce n'est pas le physique idéal pour la musculation.

Caractéristiques physiques de l'ectomorphe

Épaules et bassin étroits / Tronc rectangulaire / Visage triangulaire / Membres longs / Ossature mince voire très mince (poignets et chevilles très fins) / Faible masse musculaire / Faible masse grasse / Articulations fragiles

Tempérament de l'ectomorphe

→ Il est généralement de nature nerveuse.

→ Ce tempérament est associé à un métabolisme très actif et très rapide, de sorte qu'il dépense beaucoup de calories, même au repos.

→ Au niveau sportif, c'est un poids léger plutôt bien adapté aux sports d'endurance comme le vélo ou la course à pied.

Alimentation de l'ectomorphe

→ Il mange beaucoup, mais ne prend pas de poids.

→ On lui suggère la combinaison de glucides, protéines et lipides. Il a intérêt à boire beaucoup d'eau.

En résumé:

→ Métabolisme rapide

→ Minceur naturelle (corps un peu sec, muscles et membres longs et minces)

→ Difficulté à prendre du poids (non prédisposé à stocker de la graisse et souvent ne mange pas assez)

→ Niveau de force naturelle inférieur et difficulté à prendre de la masse musculaire (brûle facilement du muscle quand il adopte un régime hypocalorique)

→ Niveaux d'énergie généralement élevés avec tendance à l'hyperactivité

MÉSOMORPHE

Le type mésomorphe est de nature énergique et acquiert facilement de la masse musculaire. C'est le physique idéal pour la musculation : il mange beaucoup sans prendre de gras et peut moduler son poids facilement.

Caractéristiques physiques du mésomorphe
Musclé naturellement et plus fort que la moyenne / Visage carré / Épaules larges / Torse en «V» / Membres longs / Ossature et articulations solides (chevilles et poignets épais) / Facilité pour grossir ou pour maigrir / Peu souple

Tempérament du mésomorphe
→ Épicurien de nature, il est énergique, bon mangeur. Parfois même, il est gourmand, encaissant des surcharges caloriques de manière épisodique.

Alimentation du mésomorphe
→ Mangeur de protéines et de glucides (fruits). Sa consommation de gras est restreinte. C'est un grand buveur d'eau.

En résumé :
→ Naturellement musclé (os moyennement grands, torse solide, épaules larges avec une taille étroite)
→ Minceur naturelle
→ Masse de gras faible
→ Perte de graisse aisée (non prédisposé à stocker du gras)
→ Prise de muscle et de puissance facile
→ Métabolisme efficace et rapide

ENDOMORPHE

Le type endomorphe est de nature calme et a tendance à prendre du gras facilement. Cela lui permet de produire beaucoup de masse musculaire, mais il doit surveiller son alimentation s'il ne veut pas gâcher son physique en raison d'un excès de masse grasse. Comme l'ectomorphe, l'endomorphe n'a pas le physique le plus avantageux pour la musculation. Alors que l'ectomorphe est trop maigre, l'endomorphe est trop gros. Ce sont les deux extrêmes des types morphologiques de Sheldon.

Caractéristiques physiques de l'endomorphe
Épaules étroites et tombantes / Visage rond / Membres courts / Aspect empâté / Ossature lourde et corps massif / Facilité à prendre du gras

Tempérament de l'endomorphe
→ De nature calme

Alimentation de l'endomorphe
→ Nette tendance à prendre du gras et du ventre, même en mangeant raisonnablement ; il doit se contenter de protéines (viandes) et de légumes.

En résumé :
→ Tendance naturelle à être en surpoids
→ Grande structure osseuse
→ Prise de masse grasse facile
→ Perte graisseuse difficile
→ Stockage des kilos en trop au niveau de la taille
→ Sensibilité probable aux glucides (particulièrement aux glucides transformés et raffinés)
→ Métabolisme au ralenti
→ Forme du corps plutôt arrondie (forme de poire)
→ Niveau de force/puissance souvent raisonnable

BOUGER, S'ENTRAÎNER ET PRENDRE PART À DES ACTIVITÉS PHYSIQUES AUGMENTENT LA PRODUCTION DE FACTEURS DE CROISSANCE ET DE RÉGÉNÉRESCENCE NATURELS.

La stratégie alimentaire de Mario

Si je suggère habituellement de réduire l'apport en glucides pour que le corps puise dans ses réserves énergétiques et suscite une perte de poids, je n'avais pas à adopter cette stratégie avec Mario. Considérant qu'il avait peu de gras en réserve, je lui ai proposé une stratégie alimentaire différente de celles explicitées dans d'autres chapitres. Ainsi, il consomme quotidiennement des glucides, souvent sous forme de produits céréaliers, avec modération afin de ne pas outrepasser ses besoins réels. Cette approche évite de constituer une réserve d'énergie qui mènerait à une prise de poids sous forme de gras.

Les bienfaits de la musculation

Une étude sur la pratique de la musculation du Boston University School of Medicine (BUSM) réalisée en 2008 a démontré que le fait de stimuler les fibres musculaires de type II (celles utilisées lors d'exercices de musculation en force) augmente le métabolisme en général et améliore certains indicateurs métaboliques comme la résistance à l'insuline, un antidiabétique. Dans cette étude, il est aussi établi que même avec un apport hypercalorique, les exercices de musculation favorisent la perte de la masse adipeuse.

Pourquoi pratiquer une activité physique ?

Le corps est fait pour bouger

Le corps humain doit se déplacer, se mouvoir dans son espace pour analyser et ainsi s'adapter à son environnement. Bouger, passer à l'action, participer à une activité physique ou suivre un entraînement quelconque activent davantage le métabolisme et mobilisent les graisses inutiles à des fins énergétiques. Bouger stimule le gain ou, du moins, le tonus musculaire. Perdre du gras et tonifier ses muscles favorisent des déplacements ou des mouvements plus faciles à exécuter, sans subir les courbatures. En fait, bouger, s'entraîner et prendre part à des activités physiques augmentent la production de facteurs de croissance et de régénérescence naturels. Ces facteurs sont essentiels au maintien de la santé.

L'activité physique est un antidépresseur naturel

La pratique d'une activité physique intense, telle que la musculation ou une joute énergétique de 30 minutes ou plus, multiplie par cinq la quantité d'endorphines normalement produites par l'organisme. Les endorphines sont des substances de type neurotransmetteur naturellement générées par la glande hypophyse située dans le cerveau. Ces endorphines (opiacés naturels) sont responsables de la sensation de satisfaction, de plaisir et de bien-être que l'on ressent souvent après une bonne séance d'entraînement ou d'activités physiques.

Pour le maintien du poids santé et pour l'effet anti-âge

Toute activité physique demeure une excellente façon non seulement de conserver son poids santé, mais surtout de stimuler les paramètres biologiques anti-âge, soit l'augmentation de la production naturelle d'hormones de croissance, l'amélioration des indicateurs prodiabétiques et le maintien des articulations en santé.

Hausse du métabolisme et coupe-faim naturel

S'adonner à une activité physique ou s'entraîner peut augmenter le métabolisme dans une proportion allant jusqu'à 10 %, et ce, pendant une période moyenne de 12 à 15 heures. De plus, l'activité physique peut avoir un effet anorexigène (coupe-faim) pendant la journée où elle est pratiquée. Pour beaucoup de personnes, le fait de s'entraîner peut contribuer à couper la faim et/ou la gourmandise en réduisant l'apport en calories inutiles ou calories vides.

Une seule condition pour bénéficier de ces avantages : on doit s'entraîner ou s'activer sur une base régulière, soit au minimum 3 fois par semaine.

Pourquoi le sport en soirée n'est pas idéal

Ceux et celles qui pratiquent une activité physique tard en soirée seront peut-être déçus d'apprendre que sur un plan purement biologique, ce n'est pas l'idéal. Dans un contexte de conciliation famille-travail-activités, pour plusieurs, c'est toutefois le seul moment disponible. Voici donc quelques recommandations pour bien profiter de votre activité en soirée:

1 Assurez-vous d'avoir un moment de détente de 2 heures après votre activité physique, et ce, avant d'aller vous coucher. Sinon, vous pourriez nuire à votre sommeil.

2 Après votre activité, prenez un repas liquide composé de protéines en poudre mélangées à du lait d'amandes et à quelques petits fruits sauvages. Ce genre de repas facilite et accélère la digestion.

3 Évitez de consommer des viandes avant le coucher. Certains acides aminés contenus dans les viandes comme la L-tyrosine sont des déclencheurs de la dopamine, neurotransmetteur responsable de la sensation de plaisir et d'entrain. C'est donc un stimulant naturel du système nerveux central (SNC).

4 Assurez-vous d'avoir 8 heures de sommeil de qualité. Un manque de sommeil ralentit le métabolisme, stimule l'appétit et augmente les probabilités de consommer des gourmandises.

Quel est le meilleur moment pour pratiquer une activité physique?

Biologiquement, les meilleurs moments pour pratiquer une activité physique sont soit le matin vers 10 h ou en tout début de soirée vers 17 h 30. Pourquoi? Les paramètres des systèmes hormonaux et nerveux sont à leur sommet de production à ces heures de la journée. Selon des études effectuées sur la chronobiologie humaine par François Testu de l'Université de Tours, ces moments de la journée sont considérés comme la période d'acrophase (pic ou sommet de l'attention et de poussées énergétiques).

Les qualités d'un entraîneur personnel

Les plus grands athlètes ont presque tous un ou des entraîneurs personnels. Sans devoir être des professionnels sportifs avec de gros budgets ou de viser des objectifs olympiens, voici les critères nécessaires au choix d'un bon entraîneur. Il devrait posséder les qualités suivantes:

→ Être attentif et observateur afin de savoir bien identifier vos objectifs et discerner vos réelles motivations.

→ Être instinctif pour pouvoir parfois provoquer des changements sans fondements rationnels, mais selon votre profil d'évolution.

→ Être technicien et bien maîtriser les nouvelles approches et les technologies actuelles.

→ Être disponible et en mesure d'en donner un peu plus pour la cause…

→ Être un motivateur pour maintenir l'intérêt à son maximum.

LES BLESSURES

Lors de la pratique d'une nouvelle activité physique, les risques de blessures sont à leur plus haut niveau. C'est normal et naturel. Le corps peut être ankylosé par l'inactivité antérieure ou subir un stress physique nouveau pour lui. Sachez aussi que le fait de stimuler de nouvelles unités motrices (tissus musculaires), différentes de celles habituellement utilisées, créera inévitablement des douleurs dites «post-exercices». Elles peuvent être ressenties pendant quelques minutes après l'exercice et durer pendant plusieurs heures, voire plusieurs jours. L'échauffement s'avère toujours la solution de prévention la plus efficace.

Ayez recours à certains moyens pour éviter les blessures ou les états post-exercices en suivant ces quelques conseils:

→ Augmentez votre apport en protéines avec des viandes blanches maigres comme le poulet, la dinde ou en mangeant des légumineuses et du riz. Pour certains, l'utilisation de suppléments protéiques peut s'avérer un apport fort intéressant.

→ Mangez plus de fruits, idéalement des petits fruits colorés remplis de vitamines, minéraux et antioxydants naturels.

→ Ajoutez plus de légumes à vos repas. Dans le cadre d'une stratégie alimentaire axée sur la consommation de viandes, les légumes deviennent la principale source de fibres. Ils favorisent un meilleur pH (équilibre acido-basique) et permettent une meilleure gestion des déchets et acides post-entraînement; donc, une meilleure récupération. Ils contribuent aussi à diminuer les risques de cancer colorectal et à stimuler le transit intestinal de même que la santé du système digestif.

→ Visez un apport en acides gras essentiels (AGE) de la famille des Oméga-3 (poissons gras tels que saumon, thon, hareng, huile de poisson en gélules ou provenant du règne végétal tels que graines de lin, chia et soja). Les acides gras de la famille des Oméga-3 sont des éléments aux propriétés anti-inflammatoires naturels. Ils sont essentiels aux articulations et aux autres tissus de l'organisme. Recherchez la mention «bonne source» d'Oméga-3 sur les étiquettes de vos aliments.

CHAPITRE 8

LAURENT PAQUIN

Trouver la motivation de maigrir

La première fois que j'ai reçu Laurent Paquin en consultation, il m'a avoué d'entrée de jeu ne pas avoir confiance en lui. Il craignait de ne pas pouvoir mener à bien son projet de perte de poids parce qu'il ne se sentait ni motivé ni déterminé à atteindre ses objectifs.

Son manque de volonté, disait-il, le faisait douter de lui. J'ai compris la nécessité de dénouer d'abord et avant tout ce sentiment d'impuissance qui l'habitait. Pour y parvenir, je l'ai longuement questionné et écouté. Il fallait trouver une approche effective pour Laurent en le libérant au préalable de ses craintes et de ses peurs. Le fait de les verbaliser et d'en discuter lui a permis d'en être plus conscient. Ce jour-là, nous n'avons même pas parlé de nutrition. Je lui ai proposé de réfléchir à ce qu'il m'avait confié avant notre prochaine rencontre. J'espérais qu'il réviserait certaines croyances qu'il avait à son sujet. Trois jours plus tard, il m'a rappelé pour me dire : « Tu as raison ! Je pense que je suis capable d'y arriver… si on m'aide. » On pouvait entamer le travail.

— *Martin* —

« J'AVAIS PRIS POUR ACQUIS QUE JE N'AVAIS PAS SUFFISAMMENT DE VOLONTÉ POUR MAIGRIR PAR MOI-MÊME. »

Témoignage de Laurent Paquin

L'origine du problème

J'étais légèrement grassouillet au secondaire et, relativement mince jusqu'à la mi-vingtaine. Les problèmes de poids sont survenus précisément au moment où j'ai commencé à faire de l'humour. Je travaillais à la radio le matin et je voyageais entre Montréal et Trois-Rivières tous les jours. Je mangeais énormément de «fast food», parfois même dans ma voiture. J'escamotais des heures de sommeil. Pendant ces deux années, j'ai pris beaucoup de poids et j'ai continué à engraisser au fil des ans, à coup de 5 livres, jusqu'à ce que j'atteigne un poids vraiment trop élevé. Il fallait que je change mes habitudes de vie en étant conscient des erreurs que je faisais.

Un moment charnière

J'ai rencontré Martin à un moment charnière de ma vie. J'étais au début de la quarantaine et j'avais atteint un poids excessif. Le hasard a fait en sorte que je sois mis en contact avec un chirurgien bariatrique, une sommité dans son domaine. J'avais réussi à obtenir un rendez-vous et j'allais subir cette opération. Les jours précédents l'intervention chirurgicale, j'ai eu peur de regretter ma décision. La bouffe est importante pour moi: j'aime recevoir, organiser des soupers. Je savais que ma vie allait changer d'une manière irrémédiable si je me faisais opérer. L'idée de vivre avec un estomac réduit des deux tiers me déprimait… Ma blonde et mon gérant n'étaient pas enthousiastes non plus face à cette éventualité. Ma rencontre avec Martin allait tout changer.

UN BON ENCADREMENT

J'avais pris pour acquis que je n'avais pas suffisamment de volonté pour maigrir par moi-même. J'étais convaincu que je n'en étais pas capable. Finalement, en y repensant bien, j'ai réalisé que je n'avais jamais vraiment essayé. J'avais besoin d'être suivi, de trouver une motivation, chose que je n'avais jamais eue. Mon gérant, qui connaissait Martin Allard, a organisé le rendez-vous. Sa réputation en disait long sur son efficacité. Je lui ai parlé de mon manque de volonté. Je me sentais comme un enfant qui avait besoin d'encadrement. Le fait d'être suivi de près m'obligeait à rendre des comptes. Je rencontrais Martin toutes les semaines, sans annuler aucun rendez-vous, pour lui parler de ma semaine précédente. Le simple fait de penser que j'allais devoir monter sur sa balance me permettait de garder le cap. Ça m'a beaucoup aidé.

SE SENTIR RASSASIÉ

Avant de changer mes habitudes alimentaires, je mangeais toujours comme si c'était la dernière fois de ma vie... Nous avons pour la plupart été élevés au sein d'une famille où il fallait terminer son assiette pour avoir un dessert. Chez nous, le dessert n'est ni une récompense ni une punition. Mon besoin de manger jusqu'à saturation avant de m'arrêter constituait une énorme erreur en soi. Maintenant, je suis davantage à l'écoute des signes de satiété et davantage conscient de ce qui se passe dans mon corps.

Entre relâche et discipline

Lorsque j'ai commencé à changer mes habitudes alimentaires, j'étais plutôt discipliné; puis, j'ai senti un besoin de relâchement. C'est souvent le piège qui guette les gens qui perdent beaucoup de poids: ils finissent par le reprendre et, parfois, de manière étonnante. Considérant que j'ai beaucoup de poids à perdre, mon plus grand combat, c'est de maintenir une certaine vigilance une fois le poids perdu. On peut baisser les armes quand on croit avoir atteint le but. Au départ, je voulais perdre 50 livres. Lorsque j'ai atteint mon objectif, j'ai pris conscience du danger qui me guettait. Je dois rester vigilant si je veux continuer à perdre du poids. Je me fixe des objectifs à court terme, une dizaine de livres à la fois. L'aspect psychologique compte pour beaucoup. Tout est une question d'attitude et de volonté. Je dois éviter tout écart et m'en tenir à des habitudes alimentaires qui sont si salutaires. Lorsque je me regarde dans le miroir, je ne me félicite pas d'avoir maigri: je vois la route qu'il me reste à parcourir. J'ai encore du poids à perdre. Après avoir perdu 50 livres, je peux dire que j'ai gagné une bataille... mais je n'ai pas gagné la guerre.

Impact sur la santé

Cette perte de poids a eu un impact important sur ma santé et ma forme physique en général. Je peux monter des escaliers ou jouer avec mes enfants sans m'essouffler. J'avais des problèmes de genoux et d'estomac. Un médecin m'avait laissé entendre que je souffrais du colon irritable.

Finalement, en changeant mes habitudes alimentaires, ces problèmes se sont résorbés d'eux-mêmes. Ma qualité de vie s'est nettement améliorée. Mais, comme on le sait, les gens qui ont un surpoids sont sujets à l'hypertension et au diabète de type 2. J'ai été chanceux d'éviter ces conséquences. De plus, avec l'âge, les livres en trop deviennent encore plus lourdes à porter.

Assainir sa relation à la bouffe

J'ai probablement la même relation avec la bouffe que l'alcoolique avec l'alcool. C'est en quelque sorte un comportement compulsif. Un alcoolique peut vivre s'il arrête de boire, mais moi, je ne peux pas arrêter de m'alimenter; je suis obligé de le faire plusieurs fois par jour. Ça demande un contrôle absolu. Demande-t-on à un alcoolique de s'en tenir à deux verres de vin par jour? Non, parce que c'est quasi impossible. Je me vois dans une position semblable face à la nourriture. J'y suis confronté quotidiennement. Je dois donc rester discipliné et motivé. Par ailleurs, je suis un sédentaire qui n'éprouve aucun intérêt pour la pratique d'un sport. Martin m'incite à me prendre en main sur ce plan. Le nerf de la guerre pour moi, c'est le maintien d'habitudes alimentaires saines.

DANS MON CAS, LE FAIT D'AVOIR ÉTÉ SUIVI PAR MARTIN M'A PERMIS DE RÉUSSIR.

Ma stratégie alimentaire

Essentiellement, Martin m'a suggéré de consommer le moins de glucides possibles, c'est-à-dire que je m'abstiens de manger des pâtes, du pain et des patates. J'opte pour du lait écrémé dans mon café. J'ai trouvé des recettes que j'aime bien et, avec un peu d'imagination, je peux varier mon menu. J'arrive à y trouver mon compte. Je mange des protéines, les moins grasses possibles, mais consomme par contre des gras dits «essentiels» tels que les acides-gras (Oméga-3) qu'on trouve naturellement dans le saumon, le thon, les sardines, etc. On peut aussi en consommer sous forme de suppléments d'huile de poisson.

Utiliser des «jokers»

Je respecte ma stratégie alimentaire, tout en planifiant aussi des repas permissifs, ce que Martin appelle les «jokers». Il m'en autorise deux par semaine. C'est motivant, car l'idée d'arrêter définitivement de manger quelque chose qu'on aime est insoutenable. C'est stimulant de se priver pendant quelques jours pour mieux se récompenser. Savoir que je mangerai un dessert durant la semaine me garde motivé. Parfois, lorsque des amis viennent souper, je sais que je vais pouvoir me permettre une petite folie et ça me plaît. C'est ce qui rend aujourd'hui ces moments uniques. Maintenant, puisque mes verres de vin sont comptés, lorsque j'ouvre une bouteille avec mes amis, ça devient un moment important.

Le conseil de Laurent

Aux amateurs de bouffe qui ont du poids à perdre, je suggèrerais de retrouver confiance en vous. Si vous en avez les moyens, consultez quelqu'un qui pourra vous suivre, au moins au début, pour obtenir les encouragements nécessaires. Il faut trouver la motivation de maigrir. Dans mon cas, le fait d'avoir été suivi par Martin m'a permis de réussir. Maintenant, je sais quoi faire et quoi manger. Dans les faits, je suis persuadé que les dépendants à la bouffe vont comprendre mon message : j'ai besoin de plus, c'est-à-dire d'être suivi et épaulé.

UNE JOURNÉE TYPE

LE DÉJEUNER

Une omelette préparée avec 2 ou 3 blancs d'œufs et 1 œuf entier ou avec ajout de viande maigre, légumes ou condiments non sucrés

Collation

Quelques amandes et un fruit

LE DÎNER

Une portion de protéines (viande maigre ou poisson) servie avec des légumes à volonté

Collation

Quelques amandes et un fruit

LE SOUPER

Une portion de protéines (viande maigre ou poisson) servie avec des légumes à volonté

INDICE GLUCIDES

LA RECETTE
DE LAURENT
CASSOLETTE
DÉJEUNER

PORTIONS **2**

INGRÉDIENTS

8 champignons, tranchés
2 échalotes françaises, hachées
2 c. à soupe de fromage de chèvre
2 œufs, cuits légèrement dans un poêlon
1 ¼ c. à soupe d'huile d'olive
1 pincée d'herbes de Provence
Sel et poivre, au goût

PRÉPARATION

1. Préchauffez le four à 400 °F.
2. Dans l'huile d'olive, faites revenir les champignons et les échalotes. Retirez et répartir dans deux bols de type soupe à l'oignon ou dans des bols allant au four.
3. Mettez sur le dessus un peu de fromage de chèvre et un œuf légèrement cuit.
4. Mettez ensuite les bols au four de 4 à 5 minutes.
5. Assaisonnez d'herbes de Provence; salez et poivrez au goût.

VALEUR NUTRITIVE PAR PORTION		
Calories	→	199,3
Matières grasses	→	15,5 g
Glucides	→	5,5 g
Protéines	→	11,3 g

Les conseils de Martin

Être motivé à perdre du poids

Une saine nutrition de même que les régimes alimentaires qui visent la perte de poids doivent avant tout trouver leurs fondations dans notre esprit. La perte de poids est un processus biochimique et physiologique qui doit être précédé par une intention et le désir d'y parvenir. Perdre du poids, c'est d'abord et avant tout un état psychologique et mental.

On ne décide pas de perdre du poids pour faire plaisir aux autres, pour répondre aux attentes de notre médecin ou pour satisfaire notre assureur! On évalue la possibilité d'entreprendre une stratégie alimentaire; on établit nos motivations et on rationalise ensuite notre décision. Par après, le combat se livre au jour le jour au niveau émotif. N'est-ce pas ironique de penser que ce qui nous fait perdre du poids est le même lien émotif que celui qui nous en fait prendre...

La relâche

Faire relâche ou encore baisser la garde après avoir perdu du poids est un réflexe tout à fait normal et même, souhaité... à condition de revenir à sa stratégie alimentaire. Pour Laurent comme pour la majorité des gens, le combat contre l'embonpoint en est un à vie. Comme les alcooliques, ceux qui ont tendance à trop manger doivent chaque jour combattre leurs démons et tentations. Manger est nécessaire à notre survie. L'acte de manger au quotidien peut mener à la perte de poids ou à la prise de poids. Le contrôle alimentaire devient donc l'arme ultime du «guerrier» qui combat quotidiennement ses pulsions.

Comme dans toute bataille, baisser les armes fait partie du processus. Ce sont tantôt les émotions, la fatigue, la perte de motivation ou même l'atteinte d'un objectif qui deviennent autant de raisons valables pour relâcher sa vigilance. Revenir subtilement à ses anciennes habitude est tentant. Mais, il y a un prix à payer. La reprise de poids peut sembler insignifiante au début car elle se fait sans fracas. Ce sont 2 ou 3 livres qui s'ajoutent: il n'y a pas de quoi en faire tout un plat! Puis, 10, 12, 15 et même 20 livres viennent s'ajouter aux 2 ou 3 du début qui semblaient si innocentes. Un beau matin, on se rend compte qu'on est sur le point de reprendre tout le poids perdu. Voilà ce que Laurent a vécu. Lorsqu'il m'a contacté à nouveau, il s'est présenté à mon bureau la tête basse, un peu confus... et s'est excusé. Il n'y avait rien à excuser! Ce que vivait Laurent était en fait terriblement humain et normal dans le processus. Il devait toutefois apprendre de ses erreurs et, surtout, comprendre que le combat contre la table demeurera un combat à vie. Comme le dit si bien le proverbe: «Un homme averti en vaut deux!»

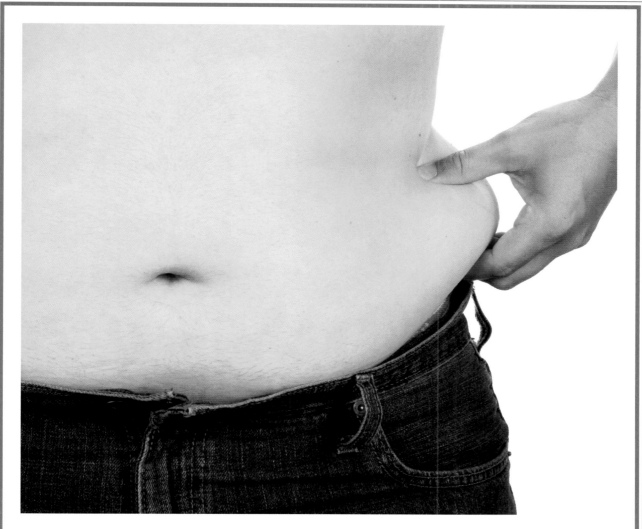

LES DANGERS DE L'EMBONPOINT

PLUSIEURS DANGERS SONT LIÉS À L'EMBONPOINT, NOTAMMENT L'HYPERTENSION, LES MALADIES CARDIOVASCULAIRES, LE DIABÈTE DE TYPE 2, LES MALADIES RESPIRATOIRES ET MÊME LE CANCER.

LES SIGNES DE SATIÉTÉ

Pour ressentir les signes de satiété, il est nécessaire de manger à la bonne cadence. Le corps a besoin de quelques minutes pour bien saisir le nutriment en déglutition (aliment porté à la bouche, puis avalé). De plus, notre corps détecte le sucre avec plus de rapidité que les protéines. Ce sont toutefois ces dernières qui procurent le sentiment d'être rassasié, et pendant plus longtemps. Plus nous mangeons lentement, plus nous mastiquons notre nourriture et plus le cerveau reçoit les informations nécessaires qui lui permettent de rétablir l'ordre alimentaire et, surtout, de ressentir les signes de satiété.

Est-ce acceptable de ne pas terminer son assiette ?

Il faut faire fi des enseignements ou traditions qui obligent à terminer son assiette. On peut manger raisonnablement selon des consignes fondées, d'un conseiller en nutrition, d'un nutritionniste ou d'un médecin, qui établissent les portions. Alors « oui », ne pas terminer son assiette est acceptable.

À deux pas de la détresse

Sur un plan plus subtil, l'embonpoint peut parfois faire basculer dans la détresse. Les gens aux prises avec un surplus de poids sont pris dans un cercle vicieux, sans voir d'issue. Laurent est un exemple concret de cette problématique : il devait subir une opération majeure dans quelques jours lorsque nous nous sommes rencontrés. Les gens souffrant d'embonpoint ont généralement essayé quelques régimes qui ont engendré une perte de poids momentanée et un retour à la case départ : ils ont retrouvé leur poids initial, mais parfois avec un excédent ! Ils perdent espoir de résoudre ce problème. Parce qu'ils sont réputés être de gros mangeurs, on leur propose des aliments auxquels ils ont de la difficulté à résister. S'ils résistent, on leur demande s'ils sont malades ou si quelque chose ne va pas. Lorsqu'ils veulent changer, leur entourage fait pression pour les ramener à leur mode de vie nocif.

LES AVANTAGES LIÉS À LA CONSOMMATION DE PROTÉINES

Au-delà de leurs fonctions métaboliques, les protéines jouent un grand rôle dans la nutrition. Le fait d'augmenter l'apport en protéines favorise une plus grande production de dopamine, l'hormone de satisfaction qu'on appelle aussi «hormone de récompense» ou «hormone du plaisir». Contrairement aux sucres ou glucides, les protéines ne provoquent pas d'addiction ou d'accoutumance. En d'autres mots, manger plus de protéines favorise une meilleure humeur, procure plus d'énergie mentale et contribue au sentiment de satiété (l'impression d'être rassasié) entre les repas.

LE SAVIEZ-VOUS ?

EN S'APPUYANT SUR LE MÊME RÉGIME ALIMENTAIRE À ADOPTER, LES PROBABILITÉS DE RÉUSSITE SANS SUIVI CLINIQUE SONT INFÉRIEURES À UNE DÉMARCHE EFFECTUÉE AVEC SUIVI CLINIQUE. ON ESTIME LE TAUX DE RÉUSSITE À SEULEMENT 5 % SANS ACCOMPAGNEMENT VERSUS 70 À 80 % AVEC ACCOMPAGNEMENT.

CHAPITRE 9

CLAUDE LEGAULT

Améliorer son système immunitaire

Au fil de sa carrière, Claude Legault est devenu une véritable star au Québec. Lorsque je l'ai reçu en consultation à l'été 2004, il s'apprêtait à relever l'un des plus grands défis à titre d'acteur : jouer le rôle de Marc, dans *Minuit, le soir*.

Pour que son personnage de « bouncer » soit crédible, il fallait l'aider à gagner de la masse musculaire. Disons les choses franchement : devant tourner des scènes torse nu, il voulait que sa musculature soit à la hauteur de son personnage ! Il a déployé les efforts nécessaires pour atteindre son objectif en maintenant une stratégie alimentaire adaptée à ses besoins ainsi qu'un entraînement rigoureux. Le tournage s'est avéré particulièrement exigeant et Claude a connu quelques ennuis de santé. Mais un acteur, c'est connu, n'a pas le droit d'être malade. Je lui ai proposé des suppléments qui allaient donner le coup pouce indispensable à son système de défense et lui permettre de revenir au travail le plus rapidement possible, dans les meilleures conditions possibles. *Minuit, le soir* est demeuré un tournage mémorable et la performance de Claude a été saluée par cinq Gémeaux et deux Artis.

— *Martin* —

« AVEC LE TOURNAGE DE *MINUIT, LE SOIR*, J'AVAIS ATTEINT MES LIMITES SUR LE PLAN PHYSIQUE. »

Témoignage de Claude Legault

Avoir un physique crédible

Je me préparais à tourner la série *Minuit, le soir* dans laquelle je devais incarner un «doorman» lorsque j'ai fait appel aux services de Martin. Je voulais devenir plus costaud. Étant donné ma grandeur, il fallait que je sois crédible et que j'aie l'air d'un «monsieur muscle». Je voulais que mon physique soit à la hauteur de la tâche et je devais devenir un gars potentiellement dangereux à l'écran! Je ne voulais pas me retrouver à tourner des scènes torse nu et avoir l'air d'un gringalet! Il fallait que j'aie l'air d'un «street fighter», comme mon personnage. Marc, c'était un homme qui avait été battu durant sa jeunesse. Il avait fait partie de la marine. C'était un dur! Pour l'incarner, je voulais un corps aussi puissant que celui de Brad Pitt dans le film *Troie*.

De gringalet à costaud

J'avais besoin de conseils sur le plan nutritionnel. En parallèle, Martin m'a suggéré de suivre un programme d'entraînement physique avec un entraîneur privé. J'ai donc investi des efforts à ces deux niveaux. Pendant des mois, je me suis entraîné 4 à 5 fois par semaine. Je suivais les conseils alimentaires qui m'avaient été donnés, soit fonder mon alimentation sur les protéines et les légumes. Sur les plateaux de tournage, j'apportais toujours des collations santé afin de ne jamais être pris au dépourvu : noix, yogourts zéro, «shakes» de protéines et fruits. Résultat : j'ai pris du coffre! Je dirais même que je suis passé de gringalet à costaud. Une stratégie alimentaire adéquate et un entraînement de masse m'ont permis de gagner du muscle et de perdre énormément de gras. Mon pourcentage de masse grasse a chuté de 21 à 10 %, et j'ai pris du muscle que je n'ai plus jamais perdu. J'ai vécu une transformation physique sévère.

UN SYSTÈME IMMUNITAIRE À PLAT

À l'automne, mon corps a montré ses premiers signes de faiblesse. Je souffrais d'une infection à la gorge; je peinais à avaler, une forte fièvre me clouait au lit. Le diagnostic du médecin est tombé: je souffrais d'une pharyngite. Le verdict était sans appel! Il fallait tout interrompre pendant trois jours. Le médecin qui était venu à mon chevet avait lui-même appelé les gens de la production pour les aviser de mon absence. Il était formel: il était hors de question que je sorte de mon lit. Pour la première fois de ma carrière, j'ai dû rater une journée de tournage. Dans mon métier, on n'a pas le choix: coûte que coûte, malade ou non, on doit honorer ses engagements. Être malade n'est généralement pas un prétexte pour rater une journée de tournage. C'est à ce moment-là que j'ai compris que mon système immunitaire était épuisé. Avec le tournage de *Minuit, le soir*, j'avais atteint mes limites sur le plan physique. Lorsque je suis retourné sur le plateau, je n'étais pas encore tout à fait remis. J'ai tourné certaines scènes particulièrement exigeantes durant lesquelles je devais courir. À la fin de chaque série de prises, je m'arrêtais pour vomir. On me maquillait à nouveau. On me faisait boire de l'eau et on espérait que je tienne le coup... jusqu'à la prochaine séquence! J'ai même tourné des scènes en chemise en plein mois de décembre...

PENDANT DES MOIS, JE ME SUIS ENTRAÎNÉ 4 À 5 FOIS PAR SEMAINE.

Des avantages à ce mode de vie

Le tournage s'est avéré particulièrement difficile et Martin a continué à me suivre pendant cette période. J'ai remarqué, qu'en période de grand stress, cette alimentation me permettait de faire retomber un peu de tension. L'entraînement me permettait aussi de fabriquer des endorphines qu'on appelle communément « hormones du plaisir », et j'en ressentais les bienfaits.

Reprendre le dessus

Les antibiotiques viennent à bout des microbes, c'est vrai, mais ils ont la réputation d'affaiblir un corps déjà fatigué. Ils avaient détruit ma flore intestinale, mais nous l'avons reconstruite grâce à des suppléments. Encore une fois, Martin est venu à ma rescousse et, tel le magicien Merlin, il m'a prodigué les conseils nécessaires pour que je puisse me remettre sur pied. Il m'a suggéré de prendre des probiotiques. En parallèle, j'ai dû m'accorder du repos et de bonnes nuits de sommeil pour permettre à mon corps de reprendre le dessus.

UN COMPULSIF DE NATURE

Pour moi, ce n'était pas l'entraînement qui était difficile à maintenir. C'était plutôt de me conformer à l'alimentation qui m'était suggérée. Je travaillais fort lors des entraînements; je travaillais fort lors des tournages et je continuais à travailler à mes projets d'écriture en parallèle. D'une manière tout à fait légitime, j'avais un irrépressible besoin de me récompenser. J'avais droit à deux repas permissifs par semaine. Alors, je m'accordais le droit de manger une pizza accompagnée d'une boisson gazeuse. C'était mes oasis de bonheur durant la semaine... Le reste du temps, je m'en tenais à ma stratégie alimentaire. J'ai toujours été un compulsif. C'est ma nature. Je le suis au niveau de la bouffe, de l'alcool, des émotions... Le problème majeur avec un compulsif, c'est qu'il ne sait ni être raisonnable ni s'arrêter. Ça n'est pas dans ses gènes! Je me souviens d'avoir appelé Martin, au bord de la détresse: si je ne mangeais pas une tablette de chocolat dans les minutes suivantes, je craignais de tuer quelqu'un! (rires) J'adore le chocolat, mais je dois m'en tenir loin! Je n'en ai pas à la maison, car je peux manger une Toblerone géante au complet sans pouvoir m'arrêter! Je suis comme un drogué qui n'a pas de fond. J'ai accepté d'être ce que je suis. Il ne me reste plus qu'à gérer cela au quotidien.

10 livres en plus

Après la première année de tournage de *19-2*, j'ai eu l'occasion de voyager. Après des années de privations et de contraintes, j'ai eu besoin d'une période de laisser-aller volontaire pour décrocher. Je voulais profiter de tout ce que la France a de bon à offrir: vins, fromages, pains, etc. Je ne me suis privé de rien. Conséquemment, je suis revenu avec près de 10 livres en plus. À mon retour, j'étais grassouillet, mais ça m'a servi puisque j'ai tourné *L'empire Bo$$é* avec Guy A. Lepage. Mon gras a servi! Par périodes, j'ai beaucoup triché et j'ai repris du poids. Selon les projets, je m'inflige plus de sacrifices et je reviens à la base. Je suis sage avec l'alcool et le sucre et maintiens ma stratégie alimentaire. Mais quelle que soit la période, je me réserve toujours le plaisir de m'accorder des permissions afin de maintenir un certain équilibre dans ma vie. Je suis quelqu'un d'extrêmement discipliné dans mon travail: j'apprends mes textes avec rigueur et je me donne toujours au maximum de mes capacités. Lorsque mon mode de vie me semble trop lourd à gérer, je fais appel à Martin. Lorsque je m'égare dans les excès, il est toujours là pour me remettre sur les rails.

DES ENNEMIS IDENTIFIÉS

Alcool et sucre

J'aime l'alcool et sans sombrer dans l'exagération, je peux en consommer pas mal à mes heures. Comme c'est essentiellement du sucre pur, l'alcool est l'ennemi juré de la perte de poids. J'ai donc appris à diminuer ma consommation. Même chose avec le Coca Cola. J'étais devenu dépendant, et j'en buvais plusieurs fois par semaine. J'ai appris à en boire uniquement lors des permissions que je m'accorde, deux fois par semaine. J'ai toujours eu d'énormes besoins de sucre. M'en passer représentait un défi énorme ! Lorsque j'ai diminué alcool, chocolat et Coca Cola, je crois avoir diminué mon apport en sucre de 70 % au quotidien. Au début, je manquais d'énergie : mon corps réclamait sa dose de sucre.

Sel et produits transformés

Actuellement, on évoque souvent les dangers liés à la consommation des mauvais gras alors que les grands dangers sont dissimulés partout. Sel et sucre consommés en trop grande quantité représentent un danger pour la santé. Le malheur, c'est qu'on en trouve dans tous les produits raffinés ! De nos jours, on peut évoquer l'empire du sel et du sucre, deux produits incontournables de l'alimentation transformée. De la même manière, notre société est devenue dépendante aux glucides que sont le pain, les pâtes, le riz et les patates. Fait à remarquer : dans tous les restaurants, on nous bourre littéralement de ces produits. Bien manger en Amérique du Nord exige de la volonté, car trouver de la nourriture qui ne soit ni trop salée ni trop sucrée ou trop grasse demeure un immense défi !

LA RECETTE
DE CLAUDE
TARTARE DE BOEUF À LA JAPONAISE

PORTIONS 2

INGRÉDIENTS

500 g de filet mignon de bœuf
2 c. à soupe de ciboulette fraîche, ciselée
1 gousse d'ail, hachée
3 c. à thé de vinaigre de riz
4 c. à soupe de sauce tamari
3 c. à thé d'huile de sésame
2 c. à thé de graines de sésame
1 c. à thé de jus de citron
¼ c. à thé de stevia
¼ c. à thé de sauce Sriracha
1 avocat, pelé et coupé en lanières
Poivre au goût

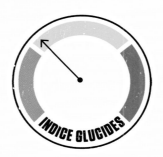

INDICE GLUCIDES

PRÉPARATION

1. Hachez la viande au couteau.
2. Dans un bol, mettez l'ail, la sauce tamari, l'huile, le vinaigre, le jus de citron, la sauce Sriracha et les graines de sésame.
3. Mélangez le tout, ajoutez la ciboulette et la viande; poivrez et mélangez à nouveau en prenant soin de ne pas écraser les ingrédients. Servez avec les lanières d'avocats. Pour une belle présentation du tartare, utilisez un emporte-pièce.

VALEUR NUTRITIVE PAR PORTION		
Calories	→	602,3
Matières grasses	→	34,3 g
Glucides	→	11,5 g
Protéines	→	62,6 g

Les conseils de Martin

Ce qu'est le système immunitaire

Le système immunitaire est notre meilleur système de défense contre la maladie : il chasse les virus, lutte contre les bactéries, attaque les champignons, tue les parasites ainsi que les cellules tumorales. Le système immunitaire est même un élément essentiel à notre survie sur terre. Invisible à l'œil nu, il ne peut être associé à un seul organe, et doit assurer sa présence partout dans le corps, à toute heure du jour et de la nuit.

Source: Passeportsante.net

MON CONSEIL

Surveillez davantage votre alimentation pour offrir à votre corps les conditions essentielles au rétablissement de la santé. Lorsque votre système immunitaire est déficient, il faut donner à votre corps les meilleurs outils qui soient et éviter de s'accorder des permissions au niveau alimentaire : vous vous gâterez plus tard. Dormez, reposez-vous, tenez-vous loin des situations stressantes. Dormir est une manière efficace de permettre un fonctionnement optimum du système immunitaire.

Pour rendre un système immunitaire plus performant

L'essentiel de notre système immunitaire se trouve dans notre système digestif. Si vous êtes aux prises avec une infection et/ou que votre système immunitaire semble moins performant, voici quelques règles à suivre :

→ Tout d'abord, demandez l'avis d'un médecin ou d'un professionnel de la santé qualifié pour poser un diagnostic.

→ Mangez frugalement et évitez toute surcharge alimentaire (trop de protéines, de glucides ou de gras).

→ Réduisez votre consommation de sucres rapides (friandises, produits raffinés tels que pain blanc, riz blanc, produits transformés, pâtisseries, etc.).

→ Réduisez votre consommation de produits laitiers.

→ Réduisez votre consommation d'alcool.

→ Augmentez l'apport en fibres (sous forme de graines de lin, de graines de chia, de fruits et de légumes).

→ Consommez des probiotiques (yogourt fermenté maigre).

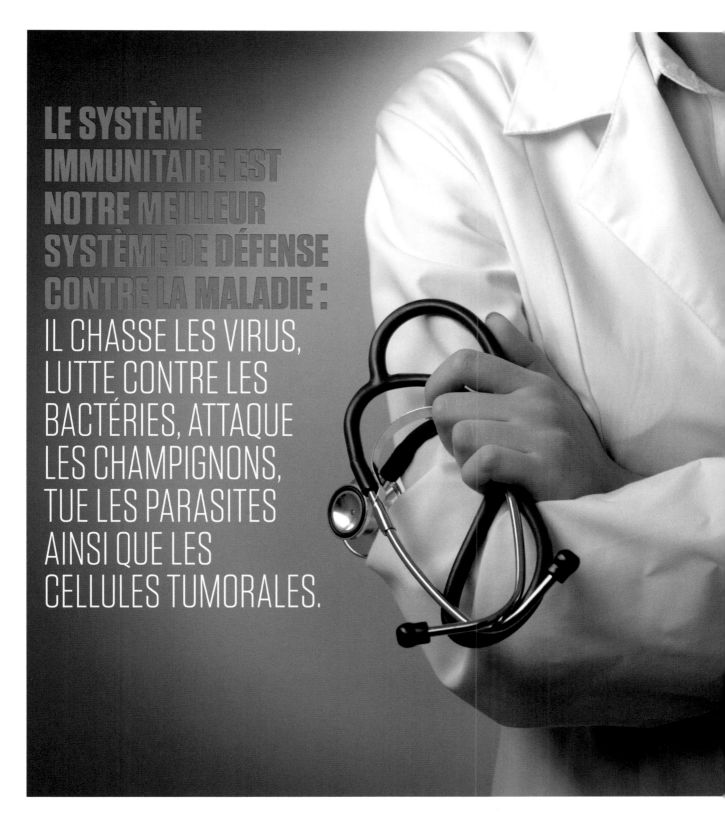

LE SYSTÈME IMMUNITAIRE EST NOTRE MEILLEUR SYSTÈME DE DÉFENSE CONTRE LA MALADIE :

IL CHASSE LES VIRUS, LUTTE CONTRE LES BACTÉRIES, ATTAQUE LES CHAMPIGNONS, TUE LES PARASITES AINSI QUE LES CELLULES TUMORALES.

Pourquoi consommer des probiotiques

Les probiotiques ont fait leurs preuves: ils contribuent au bon fonctionnement du système immunitaire et permettent de rétablir la flore intestinale, s'il y a lieu. Chaque fois que le système immunitaire d'un de mes clients semble avoir besoin d'un coup de pouce, je lui suggère des probiotiques.

Ce que sont les probiotiques

Les probiotiques sont des micro-organismes utiles qui agissent sur la flore buccale, intestinale et vaginale. Leur présence permet notamment de contrer la prolifération des micro-organismes nuisibles qui peuvent, par exemple, provoquer des diarrhées infectieuses et des vaginites. Les probiotiques contribuent également à la digestion des aliments. Plus particulièrement, il est établi que les produits laitiers fermentés, comme le yogourt, facilitent la digestion du lactose[1], notamment chez les personnes qui y sont intolérantes. Les suppléments de certains probiotiques, les lactobacilles entre autres, ont aussi cet effet, mais à un degré moindre.

Dans un organisme sain, le tube digestif est colonisé par environ 100 000 milliards de bactéries appartenant à 400 espèces différentes. De 30 à 40 espèces de ces bactéries représentent 99 % de la flore qui forme un écosystème stable essentiel au maintien d'une bonne santé. Tout événement qui perturbe l'équilibre de la flore intestinale peut provoquer une diarrhée. Dans certains cas, c'est une infection souvent liée à une déficience du système immunitaire, mais un traitement médical (usage d'antibiotiques) peut aussi être mis en cause.

Les probiotiques agissent par trois principaux mécanismes[2]. Le premier consiste à moduler l'activité du système immunitaire intestinal[3]. Les probiotiques renforcent l'immunité lorsqu'elle est faible, par exemple au moment du développement du système immunitaire chez l'enfant, ou de son vieillissement chez les personnes âgées. Ils diminuent également la suractivation du système immunitaire, notamment dans les cas d'allergies ou de maladies inflammatoires de l'intestin. En second lieu, les probiotiques augmentent la fonction de barrière de la muqueuse intestinale, par exemple en accentuant la production de mucus ou des anticorps de type IgA. Finalement, les probiotiques ont des effets antimicrobiens directs, en prenant la place des bactéries pathogènes (phénomène de compétition) et en empêchant leur adhésion aux parois intestinales.

Source :
Passeport santé.net
1. de Vresse M, Stegelmann A, *et al.* Probiotics : compensation for lactase insufficiency. Am J Clin Nutr 2001;73(2Suppl):421S-29S. Texte intégral : www.ajcn.org
2. Penner R, Fedorak RN, Madsen KL. Probiotics and nutraceuticals: non-medicinal treatments of gastrointestinal diseases. *Curr Opin Pharmacol.* 2005 Dec;5(6):596-603. Review.
3. Haddad PS, Azar GA, *et al.* Natural health products, modulation of immune function and prevention of chronic diseases. *Evid Based Complement Alternat Med.* 2005 Dec;2(4):513-20. Texte integral: http://ecam.oxfordjournals.org

L'ACTIVITÉ PHYSIQUE

Pour rendre à l'écran son personnage de Marc dans *Minuit, le soir,* Claude a dû suivre un entraînement afin d'augmenter sa masse musculaire. Ma suggestion pour y parvenir : s'entraîner malgré le manque de temps et de motivation. Dans le cas de Marc, les conseils d'un entraîneur étaient nécessaires et allaient lui permettre d'obtenir les résultats escomptés.

LES BIENFAITS DE L'ENTRAÎNEMENT ET DU SPORT

Est-ce que l'idée de vous entraîner ne vous emballe pas ? Est-ce vous poussez des soupirs quand on vous incite à pratiquer un sport ? Voici quelques avantages à vous entraîner ou à pratiquer une activité sportive. Bouger procure des bienfaits indiscutables tels que :
→ un système immunitaire plus performant
→ un meilleur sommeil
→ un contrôle du poids
→ une plus grande énergie
→ une meilleure humeur puisque c'est un antidépresseur naturel

CHAPITRE 10

ANAÏS FAVRON

Se préparer à la relâche pendant les voyages

À cause de ses engagements professionnels, Anaïs est appelée à passer plusieurs semaines à l'extérieur du pays pour le tournage de ses émissions.

En voyage, il est souvent difficile de maintenir sa stratégie alimentaire et, bien malgré elle, l'animatrice vit des périodes de relâche. Puisqu'elle a acquis une grande discipline au niveau de son alimentation, le fait de baisser la garde pendant une courte période n'a de conséquences ni sur son poids ni sur son énergie. Lorsqu'elle rentre au pays, elle constate que malgré quelques abus alimentaires et une augmentation de sa consommation d'alcool, son poids demeure stable et son niveau d'énergie se maintient.

— *Martin* —

« AVANT, À MON RETOUR DE VOYAGE, JE DEVAIS ME REFAIRE UNE SANTÉ DIGESTIVE. LES CONSEILS DE MARTIN M'ONT PERMIS DE MIEUX ME PRÉPARER AFIN DE DIMINUER CONSIDÉRABLEMENT CES SYMPTÔMES. »

Témoignage d'Anaïs Favron

Avoir l'énergie nécessaire pour faire face à sa charge de travail

En 2008, j'étais dans un tourbillon de travail inédit : je faisais de la radio l'après-midi et à ce mandat s'ajoutaient des contrats les matins, les soirs et les fins de semaine. C'était la première fois de ma vie que j'avais un horaire aussi chargé. Je mangeais à peu près n'importe quoi, n'importe quand, et j'avais pris du poids. L'après-midi alors que j'étais en ondes, je ressentais une fatigue intense au moment où il fallait que je sois à mon maximum d'énergie. C'est mon amie, la comédienne d'*Unité 9* Salomé Corbo, qui m'a proposé de consulter Martin. Il pourrait, disait-elle, me donner des trucs pour mieux gérer mon énergie.

Des changements nécessaires

Lorsque j'ai consulté Martin, je me suis rendu compte que je ne mangeais pas d'une manière adaptée à mon mode de vie. Sur ses recommandations, j'ai changé mon alimentation. Comme je n'aimais ni les confitures ni le lait, j'avais pris l'habitude de ne pas déjeuner. Martin m'a proposé de débuter ma journée avec une omelette, du fromage, de la viande et des légumes. J'ai vite constaté que ça m'allait bien. À mes trois repas, j'ai ajouté des collations. J'ai aussi cessé de consommer de l'alcool, un choix qui m'a permis de voir croître mon énergie. En suivant les conseils de Martin, j'ai constaté que je n'arrêtais pas de manger et, pourtant, je me suis mise à perdre du poids… Fait encore plus notable, j'ai retrouvé l'énergie qui me faisait cruellement défaut depuis un bon moment. C'est à cette période que ma carrière a littéralement explosé. Lorsque je voyais poindre des périodes particulièrement chargées, je consultais Martin afin qu'il m'aide à tenir le coup. Par exemple, il m'a parfois conseillé de remplacer mes collations de fruits par des collations de viande, et ce, pour mieux faire face au stress.

LORSQUE JE VOYAIS POINDRE DES PÉRIODES PARTICULIÈREMENT CHARGÉES, JE CONSULTAIS MARTIN AFIN QU'IL M'AIDE À TENIR LE COUP.

La relâche obligatoire

Mes engagements professionnels m'amènent à voyager pendant plusieurs semaines à l'extérieur du pays. En 2013, j'ai effectué un long voyage en Grèce. En 2014, je me suis rendue en Turquie. Maintenir sa stratégie alimentaire durant cette période peut être bien difficile, voire même, impossible. Lorsque je suis en tournage dans un pays étranger, je ne choisis pas ce que je mange. À l'auberge, on me sert une assiette, et je dois me contenter de son contenu. De plus, dans plusieurs pays, la tradition veut qu'on offre un «shooter» aux visiteurs pour leur souhaiter la bienvenue. Difficile de refuser... À coup de deux ou trois «shooters» par jour, ça fait pas mal d'alcool pour une fille qui a choisi de réduire sa consommation d'alcool!

Se préparer à voyager

Avant, à mon retour de voyage, je devais me refaire une santé digestive. Les conseils de Martin m'ont permis de mieux me préparer afin de diminuer considérablement ces symptômes. Fait à souligner, lors de mon séjour en Turquie, j'ai mangé sans restriction du riz, des pâtes et tout ce que j'évite habituellement. À mon retour, j'ai constaté que je n'avais pas pris une livre. Généralement, puisque je m'alimente sainement, mon corps semble en mesure de supporter les écarts, à condition qu'ils soient de courte durée. Lorsque je rentre au pays, je suis toujours heureuse de revenir à ma stratégie alimentaire.

LES TRUCS D'ANAÏS

Avoir des restants à portée de main, ça sauve la situation. Lorsque je cuisine, je prépare deux ou trois choses à la fois: steak, poulet, filet de porc, etc. Ça me permet d'avoir toujours de la viande maigre cuite dans mon frigo. Je prépare aussi des légumes coupés. Je suis donc en mesure de me composer une boîte à lunch nutritive, le matin avant de quitter la maison. J'ai tout ce qu'il faut à portée de main. De la même manière, j'ai toujours un sac d'amandes et des fruits séchés dans mon sac à main.

INDICE GLUCIDES

LA RECETTE D'ANAÏS

PIZZA NÉO-PALÉO

PORTIONS **2**

INGRÉDIENTS
Croûte
2 tasses de fromage Allégro 4 % m.g. râpé
2 œufs
2 c. à soupe de fromage à la crème écrémé
1 c. à thé d'épices italiennes
Sel et poivre, au goût
Garniture
125 ml de sauce à pizza commerciale, au goût
5 asperges, coupées en deux
50 g de tranches de prosciutto
½ tasse de courgettes jaunes ou vertes
30 ml de fromage parmesan
Sel et poivre, au goût

PRÉPARATION
1. Faites chauffer votre four à 350 °F.
2. Tapissez une plaque à biscuit de papier parchemin ou de feuille de cuisson.
3. Y étendre en forme de cercle 1 ½ tasse de fromage Allégro. Faire fondre au four 4 à 5 minutes.
4. Pendant ce temps, fouettez les œufs, le fromage à la crème et les assaisonnements pour bien les mélanger.
5. Retirez l'Allégro du four. Avec une spatule, déposez le mélange d'œufs et faites cuire 20 minutes.
6. Sortez la plaque du four et déposez la garniture. Mettre le reste du fromage Allégro et un peu de parmesan sur le dessus pour faire griller.
7. Remettez au four un autre 15 minutes, puis ensuite à « broil » pour encore 2 minutes. Surveillez afin que votre pizza ne brûle pas.
8. Laissez refroidir quelques minutes et servez.

VALEUR NUTRITIVE PAR PORTION		
Calories	→	451
Matières grasses	→	21 g
Glucides	→	13,4 g
Protéines	→	50,6 g

Les conseils de Martin

Préparer au lieu de réparer

Parce qu'elle respecte habituellement sa stratégie alimentaire, Anaïs augmente ses facteurs de résistance et d'énergie, et même si son alimentation n'est pas optimale lorsqu'elle voyage à l'étranger, elle ne prend pas de poids et ne subit pas de coups de barre majeurs. Respecter sa stratégie alimentaire au quotidien permet de préparer le prochain voyage. En se concentrant sur la préparation, elle n'a plus à payer pour ses excès, comme si son corps pouvait les assumer sans conséquence. La recette est simple : préparer au lieu de réparer.

Habituellement, les voyages risquent d'hypothéquer notre résistance et même, selon le contexte, notre santé digestive. Certains souffrent de troubles de toutes sortes au retour d'un voyage. Une stratégie alimentaire savamment appliquée avant le départ permettra à toute personne qui la met en pratique de réduire les effets néfastes des séjours à l'étranger.

EN VOYAGE, TOUJOURS COMPTER SUR VOS ALLIÉS : LES TROIS MOUSQUETAIRES

En voyage, maintenir sa stratégie alimentaire peut relever du défi. Les aliments sont parfois différents et les tentations nombreuses. Comptez sur vos alliés que sont « les trois mousquetaires », comme je les appelle. Ce sont des outils que vous avez à portée de main et qui peuvent vous aider à maintenir votre stratégie alimentaire, même lorsque vous êtes au loin.

1 À chaque repas, assurez-vous d'avoir un apport en protéines suffisant, c'est-à-dire de la grandeur de la paume de la main pour les femmes ou de la main complète pour les hommes. Vous ressentirez un effet de satiété pendant une plus longue période et, surtout, vous mangerez nécessairement moins de glucides lors de ce même repas. Pensez à dresser votre assiette de manière telle que les légumes occupent la moitié de la surface.

2 Même si vous êtes en relâche, continuez à boire de l'eau, idéalement entre 1 et 3 litres par jour. Maintenez une hydratation optimale. L'eau a aussi l'avantage d'être un coupe-faim.

3 Si vous consommez des suppléments alimentaires, même si vous êtes en voyage, continuez de les prendre. Le simple fait de prendre quotidiennement vos suppléments alimentaires vous gardera en contact avec votre approche diététique. Vous n'aurez pas tout flanqué par-dessus bord.

Les protéines en voyage

En voyage, les protéines seront vos meilleures alliées, notamment parce qu'elles vous procureront un effet de satiété et, par le fait même, elles vous éviteront quelques débordements.

L'effet « coupe-faim » des protéines élucidé

Fréquemment recommandées dans les régimes amaigrissants, les protéines alimentaires ont fait la preuve de leur efficacité grâce à leur effet « coupe-faim ». L'équipe de Gilles Mithieux, directeur de l'Unité Inserm 855 « Nutrition et cerveau » de Lyon, est parvenue à expliquer les mécanismes biologiques responsables de cette propriété. Les chercheurs décrivent en détail les réactions en chaîne provoquées par la digestion des protéines qui permettent de délivrer au cerveau un message de satiété, bien après le repas. Ces résultats, publiés dans la revue Cell,

permettent d'envisager une meilleure prise en charge des patients obèses ou en surpoids.

L'équipe de chercheurs Inserm, CNRS et Université Claude Bernard Lyon 1, est parvenue à élucider la sensation de satiété ressentie plusieurs heures après un repas riche en protéines. Elle s'explique par des échanges entre le système digestif et le cerveau, initiés par les protéines alimentaires que l'on trouve majoritairement dans la viande, le poisson, les œufs ou encore certains produits céréaliers.

Lors de travaux précédents, les chercheurs ont prouvé que l'ingestion de protéines alimentaires déclenche une synthèse de glucose au niveau de l'intestin, après les périodes de repas (une fonction appelée « néoglucogenèse »). Le glucose qui est libéré dans la circulation sanguine est détecté par le système nerveux qui envoie un signal « coupe-faim » au cerveau.

Source: www.inserm.fr

C'EST RECONNU : APPORTER SES ALIMENTS ET SUPPLÉMENTS EN VOYAGE SERT À NOUS SÉCURISER PSYCHOLOGIQUEMENT.

Mes conseils aux voyageurs

Avant de partir, faites si possible une petite place à certains aliments dans vos bagages. Apporter avec soi des aliments qu'on a l'habitude de consommer permet de garder des références en lien avec notre mode de vie et encourage le maintien de nos balises sur le plan alimentaire. C'est scientifiquement reconnu : apporter des aliments en voyage sert à nous sécuriser psychologiquement.

Voici des aliments que vous pourriez glisser dans votre valise :

→ un sac d'amandes ou de noix
→ une provision de fruits séchés
→ un pot de beurre d'amandes ou d'arachides

Pour éviter les désagréments digestifs

De 3 à 5 jours avant votre départ, prévoyez prendre chaque jour des probiotiques qui contiennent entre 25 et 50 milliards d'unités. Cette dose devra être maintenue durant toute la durée de votre séjour et de 3 à 5 jours après votre retour. L'effet est immédiat et vous permettra d'optimiser votre système immunitaire.

Éviter la maladie durant le voyage

→ **Maladies d'origine alimentaire ou hydrique**

Les maladies comme l'hépatite A et la fièvre typhoïde sont transmises lorsque vous consommez de l'eau ou des aliments contaminés. La schistosomiase, une maladie parasitaire, peut se transmettre par contact cutané dans l'eau de lacs, de rivières ou de ruisseaux. D'autres infections peuvent parfois être transmises dans les installations publiques de baignade, y compris les parcs d'attractions nautiques. Lorsque vous devez manger ou boire à l'étranger, souvenez-vous de ce qui suit :

→ N'ingérez rien qui n'ait été bouilli, cuit ou pelé ! Ne mangez que des aliments bien cuits et encore chauds. Évitez les aliments non cuits (comme les fruits de mer et les salades) et la nourriture de vendeurs ambulants. Les fruits et les légumes que vous pouvez peler sont habituellement sûrs.

→ Évitez les produits laitiers non pasteurisés et la crème glacée.

→ N'utilisez que de l'eau purifiée ou de l'eau en bouteilles commerciales scellées pour boire ou faire des glaçons. Les boissons gazéifiées sont généralement sûres.

→ Utilisez de l'eau embouteillée pour vous brosser les dents.

→ Lavez-vous les mains avec du savon sous l'eau tiède courante pendant au moins 20 secondes aussi souvent que possible, avant de boire ou de manger. Il s'agit d'un des moyens les plus efficaces et faciles pour prévenir les maladies en voyage.

→ Utilisez des désinfectants pour les mains à base d'alcool si vous ne pouvez pas vous laver les mains. Il est bon de toujours en avoir avec vous lorsque vous voyagez.

→ Évitez de nager, de patauger, de vous baigner ou de laver vos vêtements dans de l'eau polluée ou contaminée.

Source: Santé Canada

CHAPITRE 11

MARTIN ALLARD

Ma méthode

L'approche que je préconise pour perdre du poids et rehausser le niveau d'énergie est basée sur l'augmentation des protéines et la diminution des glucides. C'est ce que j'appelle le « déficit glucidique ». En matière d'embonpoint et d'obésité, notre société actuelle pointe du doigt l'excès de calories, de gras et de gras trans mais, au fond, le véritable problème selon moi réside dans la consommation abusive des glucides.

— Martin —

Les glucides

Ce que sont les glucides

Les glucides sont les sucres présents dans notre alimentation, que ce soit sous forme naturelle ou ajoutée par le biais de l'alimentation transformée. Sous la forme naturelle, cette famille regroupe les fruits, les légumes, les légumineuses, les féculents tels que les pains, les pâtes, les pommes de terre ou encore, les produits céréaliers comme le riz, le quinoa et l'avoine. Sous la forme ajoutée, on les retrouve dans les aliments de réconfort (comfort food), la restauration rapide (junk food), les aliments raffinés et les produits transformés.

L'EFFET CUMULATIF

La problématique ne se situe pas au niveau de la consommation des glucides ou même dans les choix glucidiques, mais bien au niveau de l'effet cumulatif de la consommation des glucides en trop grande quantité.

Initialement, la nature avait prévu que nous nous nourrissions de fruits et de légumes exclusivement. Les produits céréaliers n'étaient pas au programme, encore moins la restauration rapide (junk food) ou les friandises! De par notre nouveau mode alimentaire, les glucides sont devenus l'ennemi numéro 1 avec lequel nous devons cohabiter en permanence: il y en a partout, même dans les viandes ou les poissons transformés comme la goberge ou encore, dans les produits laitiers comme la crème glacée et les yogourts commerciaux.

Moins de gras mais plus de sucre

Depuis quelques décennies, la commercialisation alimentaire a considérablement transformé notre alimentation de base. Ces dernières années, le gras a été mis au banc des accusés. On l'a reconnu comme étant «le» grand coupable quant à la hausse du taux de cholestérol, de l'incidence des maladies cardiaques et de l'obésité. Dans les faits, les gras n'ont jamais été les véritables coupables...

Depuis le début de cette chasse aux sorcières, on a demandé aux compagnies alimentaires de réduire la quantité de gras dans leurs produits et, conséquemment, elles ont ajouté du sucre, un produit qui coûte moins cher à produire.

Le sucre est un stimulant de l'appétit, de la dopamine et de la sérotonine, des neurotransmetteurs qui créent non seulement l'addiction, mais aussi l'accoutumance chez l'être humain. Les gras le sont également, mais dans une moindre mesure.

On venait donc de troquer un ennemi... contre un autre ennemi encore plus puissant! Depuis, on a vu une croissance exponentielle des cas de diabète. Le diabète de type 2, associé à l'âge adulte et imputable au mode de vie, se retrouve maintenant chez les enfants. Les statistiques démontrent la prévalence du diabète tant au Québec qu'au Canada.* On consomme de plus en plus de sucre et de produits raffinés contenant du sucre (glucides) et cette surconsommation n'est pas sans conséquence. En effet, consommer trop de glucides pour ses besoins énergétiques produit de la masse graisseuse.

Source:
http://www.phac-aspc.gc.ca/cd-mc/publications/diabetes-diabete/facts-figures-faits-chiffres-2011/chap1-fra.php#Prv3

SOYEZ VIGILANT !

Il n'y a pas de liste d'ingrédients pour les fruits et les légumes. Ils contiennent évidemment des glucides dont du fructose naturel, lequel est mieux métabolisé par l'organisme que le type de fructose présent dans les sirops de maïs ajoutés aux aliments transformés. Ces sirops de maïs, qu'on retrouve dans les friandises, gâteaux, boissons gazeuses, etc., sont responsables de l'embonpoint et de l'obésité.

Les glucides à éviter

Ils sont contenus dans tous les produits raffinés et/ou transformés que nous propose l'alimentation industrialisée, et ce, par l'ajout de sirop de maïs à haute teneur en fructose.

D'ailleurs, on croit que certains additifs alimentaires présents dans les aliments transformés seraient responsables d'environ 80 % des pathologies actuelles. J'ajouterais même qu'ils augmentent l'effet potentiellement néfaste des glucides à éviter dans notre alimentation.

La quantité de glucides adéquate

On recommande aux femmes de consommer entre 100 et 125 grammes de glucides par jour et aux hommes, entre 125 et 150 grammes de glucides quotidiennement.

L'humain versus la technicalité diététique

Contrairement à une diète ou à un régime alimentaire, la stratégie alimentaire que je privilégie tient compte davantage de l'humain que de la technicalité diététique.

Ma méthode est construite à partir des besoins énergétiques réels de mes clients versus leur objectif de perte de poids. Et surtout, elle est élaborée en tenant compte de leurs besoins épicuriens.

Oui, au sein des stratégies alimentaires que je propose, il y a de la place pour le plaisir !

Les glucides à privilégier

Ce sont les sucres qui sont présents dans la nature et dans l'alimentation non transformée : fruits, légumes, légumineuses.

Les glucides à consommer modérément

On les trouve dans les féculents (pain, pommes de terre, pâtes) et dans les produits céréaliers (riz, quinoa, avoine, etc.). Ils sont généralement consommés aux trois repas, quotidiennement.

Je suggère de limiter la consommation des glucides de type céréalier, sachant que de toute manière, par le biais de ce que j'appelle des « repas permissifs » dont il est question plus loin, on pourra tout de même en consommer, mais en quantité modérée.

LISEZ LES ÉTIQUETTES ET ÉVITEZ LES PRODUITS CONTENANT DES AJOUTS DONT LES NOMS DE TERMINENT EN « OSE » : **CE SONT DES SUCRES AJOUTÉS.**

Pourquoi éviter de compter les calories ?

On préconise habituellement deux approches pour effectuer une saine gestion de nos aliments: soit l'approche calorique ou l'approche fonctionnelle.

L'approche calorique versus l'approche fonctionnelle

Approche calorique des aliments

Tous les aliments sont convertis en grammes qui équivalent à un certain nombre de kilocalories.

ALIMENTS (POUR 1 G)	KILOCALORIES
Glucides	→ 4
Protéines	→ 4
Gras	→ 9
Alcool	→ 7,1

Si on consomme 2 000 kilocalories durant la journée, on ne fait aucune différence entre le fait de les absorber sous forme de glucides, de protéines ou même d'alcool (2 000 kilocalories demeurent 2 000 kilocalories, quelle qu'en soit la source).

Favoriser une approche diététique en termes de calories, c'est considérer le corps humain comme un grand tuyau répondant à une simple équation

LES QUESTIONS FONDAMENTALES S'ARTICULENT AUTREMENT :

→ De combien de grammes de protéines ai-je besoin pour maintenir ma masse musculaire ?

→ De combien de grammes de glucides ai-je besoin pour maintenir des fonctions cérébrales et biologiques optimales, sans susciter une mise en réserve de gras par une surconsommation de ces éléments ?

→ Quels sont les gras essentiels dont mon corps a besoin pour fonctionner ?

En résumé, on privilégie toujours l'apport fonctionnel d'un aliment et non pas son apport calorique. Par contre, si on a à choisir par exemple entre deux sources de protéines, de glucides ou de lipides, on doit opter pour celle qui contient le moins de calories.

mathématique entre l'entrée des aliments et les dépenses énergétiques. Dans les faits, entre l'entrée des aliments et leur sortie, des milliards de cellules travaillent ensemble pour produire et dépenser de l'énergie, et pour activer des milliards de métabolismes.

Approche fonctionnelle des aliments

Les calories importent peu. L'important est de procurer au corps les nutriments cellulaires dont il a besoin. Une protéine a un effet de protéine; un glucide a un effet d'un glucide et un lipide a l'effet d'un lipide dans le corps.

Les trois volets de la stratégie alimentaire

PREMIER VOLET

La mécanique de la stratégie alimentaire

Cette stratégie alimentaire repose sur une horloge alimentaire précise échelonnée en trois repas (déjeuner, dîner, souper) et deux collations, pris quotidiennement et idéalement aux mêmes heures. Cette mécanique permet de reprogrammer le corps, de ne plus être à son écoute pour faire en sorte qu'il soit à notre écoute.

Lors des trois repas quotidiens, trois groupes alimentaires doivent composer notre assiette.

Le premier groupe alimentaire : les protéines

Sur le plan nutritionnel, les protéines sont indispensables à la vie car elles sont impliquées dans plusieurs fonctions métaboliques. Elles jouent divers rôles prépondérants en favorisant entre autres une plus grande production de dopamine, communément appelée « hormone du plaisir et de récompense », et elles augmentent l'effet de satiété après et entre les repas. Des trois nutriments caloriques essentiels à l'organisme de l'être humain (protéines, glucides et lipides), les protéines sont celles qui exigent le plus de calories pour leur digestion. Ainsi, dans le but de perdre du poids, consommer des protéines aux repas, c'est payant !

Où se trouvent-elles ?

Les protéines proviennent de sources animales et végétales. En termes simples, la protéine animale peut être décrite comme étant tout ce qui court, nage ou vole. On consomme les muscles, jamais les viscères ou les abats.

SOURCES DE PROTÉINES	
Viandes	→ Bœuf : faux-filet, filet mignon, onglet, roast beef, tournedos, haché (extra-maigre), en tartare → Cheval : steak, steak haché, tartare → Viandes sauvages/gibiers : bison, cerf, chevreuil, orignal, autruche → Lapin : filet → Cuisses de grenouille → Veau : filet, épaule, rôti ou haché → Porc : filet de porc seulement ou jambon maigre (4 % m.g. le plus maigre possible)
Volailles	→ Poulet, dinde (poitrine ou haché extra-maigre), pintade, dindonneau, et toujours sans la peau
Poissons	→ Achigan, sole, truite, flétan, morue, brochet, doré, tilapia, aiglefin, saumon frais, en tartare ou fumé, saumon en conserve, thon pâle, sardine, maquereau frais ou en conserve (dans l'eau et rincé)
Fruits de mer	→ Calmar, crevette, homard, langouste, moule, huître, palourde
Œufs	→ Toujours cuits, jamais crus
Protéines végétales	→ Les sources de protéines sont essentiellement le soya, le seitan, les légumineuses et les noix.

La cuisson des protéines

On porte une attention particulière à la cuisson des protéines qui ne doivent pas être apprêtées dans du beurre, être frites dans l'huile, etc. On évite de faire calciner la viande.

Quelle quantité consommer ?

La quantité de protéines à consommer dépend non seulement de votre poids en regard à votre masse maigre (votre poids sans le gras), mais aussi de vos activités physiques et de votre capacité de bien digérer ces protéines. Sans vous compliquer la vie dans des calculs périlleux, il suffit d'ajouter une portion moyenne de protéines (l'équivalent de la paume de main pour les femmes ou de la main complète pour les hommes) à chacun de vos repas, et ce, trois fois par jour. Sachez par contre que ces recommandations sont données à titre d'exemple. Elles peuvent varier selon les conditions de santé, métaboliques et de vie de chacun.

Le deuxième groupe alimentaire : les légumes et légumineuses

LÉGUMES ET LÉGUMINEUSES	
Légumes	→ Asperge, artichaut, aubergine, avocat, brocoli, céleri en branche, champignon, chou-fleur, chou vert, concombre, courge, courgette, épinard, endive, fenouil, germe de soya, navet, poireau, poivron vert, poivron jaune ou rouge, radis, échalote, tomate, sauce tomate, etc.
Légumineuses	→ Fèves et haricots secs (rouges, verts, jaunes, blancs, noirs, azukis, de Lima, mungos, etc.), soya, gourganes
Pois secs	→ Entiers, cassés, chiches
Lentilles	→ Vertes, rouges, brunes

Note : Ceux qui consomment des légumineuses dans leur salade veilleront à respecter ce ratio, 1/3 de légumineuses pour 2/3 de légumes.

Quelle quantité consommer ?

Je recommande à ma clientèle féminine de 1 à 1 ½ tasse de légumes le midi et le soir. Les choix doivent respecter la règle bicolore, soit un minimum de 2 couleurs différentes dans la même assiette. Pour les hommes, la recommandation est de 1 ½ à 2 tasses midi et soir.

Note : les laitues ne sont pas comptabilisées. Vous pouvez en consommer à votre guise sans les considérer pour autant.

Le troisième groupe alimentaire : les assaisonnements et condiments

Les assaisonnements permis

Vous pouvez ajouter certains aliments dits « accessoires » comme des graines de pin, de sésame ou de soya, quelques morceaux de canneberges séchées, amandes râpées, ou autres dans vos plats, olives noires non farcies et même quelques grains de fromages feta, Bocconcini, cottage 1 % m.g. égoutté (1 c. à soupe). Toujours en quantité raisonnable et en accompagnement, selon la règle du « bout du doigt » explicitée ci-après.

Ail, citron, épices, fines herbes, ketchup sans sucre, moutarde forte, douce (jaune) ou de Dijon, sauce piquante légère, sauce soya/tamari, vinaigre blanc, curcuma, vinaigre balsamique, cresson.

Quelle quantité consommer selon la règle du « bout de doigt »

→ Les condiments solides (matières séchées) doivent suivre la règle du « bout de doigt », c'est-à-dire que le bout du doigt représente la quantité permise, une ou deux fois durant un même repas ou encore, une ou deux pincées par repas.

→ Les condiments liquides sont calculés en termes de cuillères à soupe, soit 1 ou 2 par repas. On autorise 2 cuillères à soupe par repas de condiments liquides transparents (huiles végétales) et 1 cuillère à soupe par repas de condiment liquide opaque (vinaigre balsamique ou mayonnaise, moutarde, ketchup, etc.)

Les lipides

Les lipides sont souvent accusés à tort d'être responsables de la prise de poids, de l'embonpoint et de l'obésité. S'ils sont soigneusement choisis et consommés adéquatement, ils deviennent des alliés pour la perte de poids. Les lipides provenant d'aliments naturels tels que les plantes (huiles végétales), graines et noix contiennent des acides gras qui contribuent à la fois à la perte de poids et au support énergétique de l'organisme. Leur utilisation dans notre alimentation quotidienne est indispensable. Leur absence compromettrait l'efficacité de la stratégie alimentaire et, éventuellement, la perte de poids.

Les huiles

Choisir des huiles de première pression à froid ou extra vierge, telles que : huile d'olive, de carthame, d'avocat, de pépins de raisin, de tournesol, de noisette, de sésame, de bourrache et d'onagre.

Pour les collations

Votre journée comprendra des collations composées d'un fruit au choix non transformé accompagné de 5 à 10 amandes ou noix non assaisonnées et/ou non transformées. Ces collations contenant des glucides serviront de source d'énergie immédiate et stabiliseront votre glycémie (taux de sucre sanguin) efficacement durant la journée.

DEUXIÈME VOLET

La zone de confort ou les repas permissifs

Je préconise 2 repas permissifs par semaine espacés de 3 jours, soit de 72 heures. Les repas permissifs, ce sont des repas durant lesquels tout est permis... ou presque! Il ne s'agit pas d'une orgie alimentaire, mais d'un repas dans les normes conventionnelles, comprenant un verre de vin, du pain et un dessert. Je rappelle toutefois à mes clients que ce n'est pas le dernier repas du condamné à mort. Dans 72 heures, il y en aura un autre!

D'après mon expérience clinique, pour qu'une stratégie alimentaire soit efficace, il faut que le client y trouve son compte. Un repas permissif aux trois jours, qui motive à poursuivre sa stratégie alimentaire, est suffisant pour que le corps puisse enclencher une perte de poids.

Bien que la plupart de mes clients trouvent difficile de devoir espacer les repas permissifs, ceux-ci augmentent les chances de réussite. Dans les faits, 85 à 95 % de mes clients répondent efficacement à cette méthode.

ENTRE PLAISIR ET CONSÉQUENCES

Après un certain temps et devant les résultats obtenus, une autodiscipline s'installera. On constate une hausse du niveau d'énergie, une perte de poids, une sensation d'être moins gonflé et, surtout, un renforcement de la motivation pour poursuivre la stratégie alimentaire.

J'aimerais ajouter qu'après la satisfaction immédiate engendrée par le repas permissif, on peut se plaindre de sentir son énergie diminuée, être gonflé, etc. Il faut parfois 12, 18 et même 24 heures pour s'en remettre. Si c'est le cas et, surtout, si les malaises se prolongent au-delà de 24 heures, les repas permissifs ne vous conviennent peut-être pas. Encore une fois, les repas permissifs ont leur raison d'être, mais il n'est pas approprié de faire des abus.

TROISIÈME VOLET

Les suppléments alimentaires recommandés

Je suggère parfois à mes clients pour des raisons techniques quelques suppléments alimentaires que voici.

Suppléments nutritionnels

→ Formule MVM (multivitamines et minéraux) pour soutenir les fonctions biologiques d'énergie, d'endurance et de maintien de la santé.

→ Antioxydants qui protègent l'organisme contre l'oxydation des cellules, responsable du vieillissement et des dommages cellulaires. Selon certaines études, les antioxydants offrent une protection supplémentaire contre certains cancers et leur prolifération.

→ Oméga-3. Plus d'une vingtaine d'effets positifs, dont la protection du système cardiovasculaire, stimulation des fonctions cognitives (ex. : mémorisation) et diminution du cholestérol total.

→ Magnésium et zinc (privilégiez les formes organiques), deux minéraux impliqués dans plus de 300 fonctions enzymatiques, donc la production d'énergie.

Suppléments nutraceutiques

Probiotiques de souches dominantes et subalternes qui favorisent le maintien d'une bonne santé intestinale favorable à la digestion et au bon fonctionnement du système immunitaire et autres.

Formules spécifiques telles que *Insulino Control*, *Cellulo Control*, etc., des produits de *Martin Allard Nutraceutique*.

Un rappel

Toujours consulter un spécialiste de la santé avant de débuter la consommation de suppléments, surtout si vous prenez des médicaments.

Autres recommandations

Eau et liquides permis en tout temps

Maintenir une bonne hydratation est essentiel. Rappelez-vous que de toutes les fonctions biologiques naturelles du corps, l'hydratation semble être la moins efficace. En effet, lorsqu'on a soif, c'est qu'on est déjà déshydraté. On suggère de boire quotidiennement de 1 à 3 litres d'eau par jour, selon nos besoins.

On peut aussi boire de l'eau de source, de l'eau minérale (en quantité raisonnable à cause de sa teneur en minéraux), de l'eau édulcorée (saveur sans sucre, mais avec modération), du thé et des tisanes au choix.

Café

Si vous buvez du café, limitez l'ajout de lait écrémé à une larme. On suggère aux femmes un maximum de 2 cafés par jour. Les hommes quant à eux devront limiter leur consommation à un maximum de 3 par jour. Le café au lait n'est généralement pas permis, ni pour les femmes ni pour les hommes.

Alcool

La seule restriction que j'impose est au niveau de la consommation d'alcool. Je l'autorise uniquement lors des repas permissifs. Pour les hommes, je suggère un maximum de 3 consommations, deux fois par semaine. Je propose aux femmes de s'en tenir à 2 consommations, deux fois par semaine.

Les trois types alimentaires

1. Aliments naturels (non transformés)
Viandes/œufs et laitage cru/légumes/fruits/ graines (céréales) et noix/eau

2. Aliments transformés

→ **Niveau 1**
Aliments dont on peut reconnaître visuellement l'apparence initiale. Ils doivent contenir un maximum de 3 ingrédients. Exemples : lait, yogourt grec naturel, beurre d'amandes ou d'arachides, etc., soupe, céréales de grains entiers non commerciales, gruau.

→ **Niveau 2**
Aliments qui n'ont plus une apparence semblable à leur état initial, mais dont on peut reconnaître les ingrédients. L'aliment doit contenir un maximum de 5 ingrédients. Exemples : compote de pommes, jus de fruits, yogourts commerciaux, biscuits d'avoine maison, céréales commerciales de grains entiers (Cheerios).

→ **Niveau 3**
Aliments dont on ne reconnaît plus visuellement leur état initial ni leurs principaux ingrédients. L'aliment peut contenir plus de 5 ingrédients. Exemples : restauration rapide (fast food), friandises, chips, boissons gazeuses, biscuits commerciaux, etc.

3. Suppléments alimentaires
   (produits de santé naturels)

→ **Nutritionnels**
Produit vendu sous forme de pilules ou de poudre (potion) ayant des propriétés nutritionnelles de base sans allégation thérapeutique.

→ **Nutraceutiques**
Produit fabriqué à partir d'aliments, mais vendu sous forme de pilules ou de poudre (potion) ou sous d'autres formes médicinales qui ne sont pas généralement associées à des aliments.

Source :
http://www.hc-sc.gc.ca/fn-an/label-etiquet/claims-reclam/nutra-funct_foods-nutra-fonct_aliment-fra.php

À RETENIR

Notre alimentation devrait reposer sur des aliments naturellement présents dans la nature, peu ou non transformés (viandes, œufs, légumes, fruits, noix et graines, eau).

Une règle à respecter : on doit pouvoir identifier facilement l'aliment par son apparence, c'est-à-dire qu'elle doit être identique à celle d'origine. Une compote, même si elle provient de la pomme, ne pousse pas dans les arbres ! On s'autorise occasionnellement un aliment transformé de niveau I (lait, yogourt grec nature, beurre d'amandes ou d'arachides).

On évite les autres aliments transformés, ceux dont la liste contient plus de 5 ingrédients et dont on ne reconnaît plus l'apparence initiale.

Les bienfaits de cette stratégie alimentaire

Cette nouvelle hygiène de vie et alimentaire vous sera bénéfique. Vous sentirez un gain énergétique en quelques jours et aurez l'énergie nécessaire pour accomplir vos journées de travail, vous occuper de vos enfants et plus! Les bienfaits de cette stratégie alimentaire sont nombreux:

→ Réduction de l'inflammation
→ Augmentation du niveau d'énergie disponible
→ Développement de la masse musculaire
→ Meilleure santé osseuse
→ Stabilisation de la glycémie (taux de sucre dans le sang)
→ Meilleur sommeil
→ Et le dernier, mais non le moindre : une perte de gras

Les trois conditions métaboliques qui permettent la perte de poids

Des confrères et consœurs du milieu de la santé me demandent souvent sur quels principes il importe d'agir afin de favoriser une perte de poids continue, sans reprises de poids notables, en visant des conditions de santé optimales.

Je réponds toujours qu'il y a trois conditions métaboliques à respecter. La stabilisation de la glycémie, l'équilibre acido-basique ou pH (potentiel Hydrogène) et la réduction de l'inflammation.

Ces trois conditions métaboliques essentielles permettent non seulement la perte de poids, mais aussi le maintien de celle-ci. Les deux premières conditions dépendent à 80 % d'une alimentation stratégique contenant des protéines, des légumes et des fruits.

La glycémie est le paramètre le plus important en lien avec la perte de poids de même que l'augmentation du niveau d'énergie. Pour stabiliser la glycémie, il faut nécessairement diminuer son apport en glucides.

L'inflammation, quant à elle, est solutionnée par l'apport de certains ingrédients actifs de l'alimentation (aliments fonctionnels) et de suppléments (nutritionnels ou nutraceutiques) comme l'huile de poisson ou l'huile de krill qui contiennent une forte dose d'Oméga-3, reconnues pour leur action anti-inflammatoire très efficace.

Source:
PubMed
Am J Clin Nutr. 2012 Nov;96(5):1137-49. doi: 10.3945/ajcn.112.037432. Epub 2012 Oct 3.
Long-chain n-3 PUFAs reduce adipose tissue and systemic inflammation in severely obese nondiabetic patients: a randomized controlled trial.
Itariu BK1, Zeyda M, Hochbrugger EE, Neuhofer A, Prager G, Schindler K, Bohdjalian A, Mascher D, Vangala S, Schranz M, Krebs M, Bischof MG, Stulnig TM.

LA GLYCÉMIE EST LE PARAMÈTRE **LE PLUS IMPORTANT** EN LIEN AVEC LA PERTE DE POIDS DE MÊME QUE L'AUGMENTATION DU NIVEAU D'ÉNERGIE.

Se donner trois mois

Pour changer nos habitudes alimentaires et notre relation face à la nourriture, je suggère d'appliquer cette stratégie alimentaire durant trois mois. Bien sûr, on obtiendra des résultats bien avant trois mois (meilleure énergie, perte de poids, etc.), sauf que les anciennes habitudes alimentaires peuvent refaire surface.

Ma méthode consiste à maintenir quotidiennement, semaine après semaine, une stratégie alimentaire qui permet au corps de se reprogrammer à moyen et à long termes afin de répondre différemment et positivement à notre alimentation. Cette phase de reprogrammation dure entre 3 et 12 mois. C'est par l'impact de la continuité, c'est-à-dire en exécutant le même mouvement alimentaire jour après jour, semaine après semaine sur une durée minimale de trois mois, que le corps se reprogrammera.

Vous remarquerez que les diètes commerciales proposent dans leur publicité une durée allant de 5 à 8 semaines, parce qu'au-delà de cette période, les clients abandonnent généralement leur régime. S'ils persistent… ils n'auront plus besoin de leurs produits et suggestions !

Durant vos vacances, faites équipe avec vos trois mousquetaires !

En période de relâche ou de vacances, on doit garder en tête que trois mousquetaires sont toujours là pour nous aider à maintenir notre stratégie alimentaire. Et comme dans le roman d'Alexandre Dumas, ces trois mousquetaires… sont au nombre de quatre !

1. Assurez-vous d'avoir un apport en protéines suffisant à chacun de vos repas. Vous consommerez moins de glucides, tout en bénéficiant d'un effet de satiété pendant plus longtemps.
2. Buvez de l'eau, même en période de relâche. Portez une attention particulière à l'hydratation, car de 1 à 3 litres d'eau par jour sont essentiels.
3. Si vous consommez des suppléments alimentaires, continuez de les prendre pour rester en contact avec votre approche diététique.
4. Le quatrième mousquetaire dont l'histoire fait rarement mention existe aussi dans cette stratégie, et c'est l'activité physique. On peut s'en passer, mais si vous l'ajoutez à votre mode de vie, vous aurez une épée de plus !

QUELQUES CONSEILS SUPPLÉMENTAIRES

Dans le but de respecter votre stratégie alimentaire, vous devrez planifier vos repas et acheter vos aliments en conséquence. Voici quelques conseils :

→ Lorsque vous faites votre épicerie, prenez le temps de bien choisir vos aliments. Au début, cela vous demandera quelques minutes de plus, mais ça vaut le coup.
→ Ne faites jamais votre épicerie le ventre vide. Vous pourriez être tenté de mettre des aliments transformés dans votre panier.
→ Préparez certains de vos repas à l'avance et conservez-les dans des contenants prévus à cet effet. Planifier vos repas vous permettra de maintenir votre stratégie alimentaire.
→ Pensez à doubler votre portion pour vos repas du soir. Cette portion supplémentaire deviendra votre repas du lendemain.

Comment se déroule une rencontre en clinique privée

Ma pratique est essentiellement concentrée sur la perte de poids par le biais d'une stratégie alimentaire efficace qui génère plusieurs bienfaits dont une plus grande énergie.

Durant le premier tiers de la première rencontre, je m'informe auprès de mon client quant à son travail, à ses objectifs en termes de perte de poids, à ses critères d'esthétique et de santé. Au moment du bilan, je vérifie si mon client consomme de la médication ou en a déjà consommée. Est-ce que des événements particuliers se sont produits durant les deux dernières années ? Que dois-je savoir au niveau de sa santé (dépression, blessure majeure, etc.).

Durant le deuxième tiers de notre entretien, le client dresse un bilan alimentaire spontané. Nous faisons l'autopsie de son alimentation au quotidien : ses repas pris à la maison et au restaurant, sa consommation d'alcool, etc.

Durant le dernier tiers, j'évoque les failles de son alimentation et lui propose de nouvelles notions. Je dresse et lui explique son protocole alimentaire. Il est en mesure de commencer à appliquer sa stratégie alimentaire à partir des paramètres statués.

Je revois généralement mes clients aux deux semaines, sur une période de trois mois, et ce, afin d'effectuer un suivi rapproché et de maintenir la motivation durant cette transition. Dans le contexte nord-américain, ces trois mois regroupent ordinairement quelques fêtes importantes, soit Noël, le Jour de l'An, Pâques ou la Saint-Valentin et plusieurs événements professionnels et/ou personnels. Ainsi, ensemble, nous traversons les moments difficiles et trouvons les solutions pour faire face aux embûches.

Après trois mois, parfois plus, je « perds » mes clients et je m'en réjouis. Ils connaissent les rouages de leur alimentation. Ils ont adopté une stratégie alimentaire qui leur servira toute leur vie durant. Ils en ont récolté les avantages et nombreux bienfaits : ils sont fins prêts à voler de leurs propres ailes. Comme je le dis toujours, mon objectif est d'entendre mes clients dire : « Le dernier gars que j'ai vu pour ma perte de poids, c'est Martin Allard ! » À mon avis, c'est la plus belle récompense qui soit…

UNE JOURNÉE TYPE

Voici une proposition de plan alimentaire à des fins démonstratives

LE DÉJEUNER

Une omelette avec 2 à 3 blancs d'œufs et 1 œuf entier ou de la viande maigre, des légumes ou des condiments non sucrés.

La collation 1
Un fruit et quelques amandes ou avec un fromage faible en gras (facilement reconnaissable à leur emballage bleu).

LE DÎNER

Une portion de protéines (viande maigre ou poisson) servie avec 1 à 2 tasses de légumes (multipliez les couleurs), une huile végétale et des assaisonnements et/ou aromates (selon la règle du « bout du doigt »).

La collation 2
Un fruit et quelques amandes ou noix variés.

LE SOUPER

Une portion de protéines (viande maigre ou poisson) servie avec 1 à 2 tasses de légumes (multipliez les couleurs), une huile végétale et des assaisonnements et/ou aromates (selon la règle du « bout du doigt »).

À l'intention des végétariens

Végétarisme et perte de poids

Lorsque des végétariens me consultent pour perdre du poids, nous sommes confrontés à deux problématiques: leur apport en glucides généralement trop élevé et le manque de protéines de qualité.

L'approche végétarienne repose beaucoup sur la consommation de produits céréaliers et de fruits, des sources riches en glucides (en sucres), mais pour perdre du poids, une réduction de leur consommation est nécessaire. Je suggère d'augmenter la consommation des protéines pour remédier à leur manque si tel est le cas, mais aussi parce qu'elles remplacent le volume des glucides (pain, pâtes et pommes de terre) prévus au repas, tout en permettant d'atteindre la satiété.

Les trois principales familles de protéines végétales

Les protéines d'origine végétale se regroupent en trois principales familles: les légumineuses, les céréales, les noix et les graines. Les aliments d'une même famille possèdent des caractéristiques communes et leur regroupement d'acides aminés se ressemble. Deux légumineuses comme les fèves sèches et les pois chiches ont les mêmes forces et les mêmes faiblesses. Elles ne peuvent pas se compléter car leurs faiblesses respectives seraient accentuées. Par contre, les céréales comme le blé et le riz ont des caractéristiques différentes et peuvent compléter un autre aliment de la famille des légumineuses.

La complémentarité des protéines

Pour qu'une protéine soit complète, elle doit posséder tous les acides aminés essentiels en quantité suffisante et dans les proportions adéquates. Par exemple, le soya contient tous les acides aminés essentiels. D'autres protéines doivent être combinées pour devenir complètes. On doit, à chaque repas, s'assurer de la complémentarité des protéines. Ceux qui consomment des œufs et des produits laitiers pourront compter sur ces aliments pour ce faire. Les autres devront respecter attentivement les règles de base suivantes:

→ légumineuses + céréales = protéines complètes
→ légumineuses + noix et/ou graines = protéines complètes
→ céréales + noix et/ou graines = protéines complètes

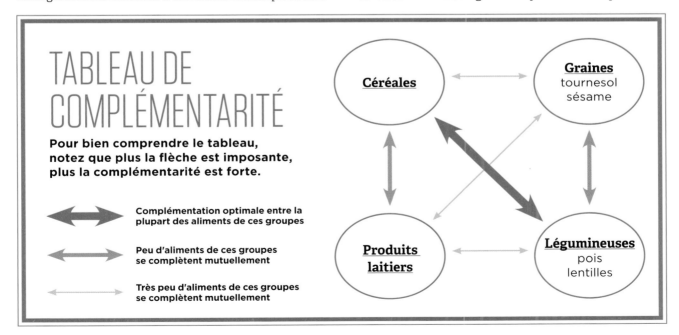

TABLEAU DE COMPLÉMENTARITÉ

Pour bien comprendre le tableau, notez que plus la flèche est imposante, plus la complémentarité est forte.

Complémentation optimale entre la plupart des aliments de ces groupes

Peu d'aliments de ces groupes se complètent mutuellement

Très peu d'aliments de ces groupes se complètent mutuellement

Céréales

Graines
tournesol
sésame

Produits laitiers

Légumineuses
pois
lentilles

Les acides aminés essentiels

Une protéine est toujours construite à partir d'acides aminés regroupés en une chaîne. Le corps humain a besoin de 20 acides aminés différents pour construire ses protéines dont 8 qui sont essentiels, car ils ne sont pas fabriqués par notre organisme. On doit nécessairement les puiser dans notre alimentation.

Les protéines animales contiennent les 8 acides aminés essentiels et dans les bonnes proportions tandis que les protéines végétales sont généralement déficientes en certains acides aminés essentiels. En revanche, on trouve dans les protéines végétales d'autres types d'acides aminés, mais qu'on utilise peu. Pour cette raison, en combinant deux végétaux dans un même repas, on retrouve alors tous les acides aminés nécessaires, à peu près dans les bonnes proportions. C'est ce qu'on appelle la «complémentarité des protéines».

Les types de végétarisme

La grille ci-dessous permet de survoler les différents types de végétarisme en indiquant ce que chaque groupe consomme ou exclut de son alimentation.

LES TYPES DE VÉGÉTARISME

TYPE	VOLAILLES	POISSONS, FRUITS DE MER	OEUFS	PRODUITS LAITIERS	CÉRÉALES, NOIX, LÉGUMES, LÉGUMINEUSES, FRUITS	CHAMPIGNONS, LEVURES ET DÉRIVÉS	PRODUITS DÉRIVÉS - SOUS-PRODUITS ANIMAUX
VÉGÉTARISME (PUR)					X	X	X
SEMI-VÉGÉTARIEN	X	X	X	X	X	X	X
POLLO-VÉGÉTARIEN	X		X	X	X	X	X
PESCO-VÉGÉTARIEN		X	X		X	X	X
LACTO-OVO-VÉGÉTARIEN			X	X	X	X	X
LACTO-VÉGÉTARIEN				X	X	X	X
OVO-VÉGÉTARIEN			X		X	X	X
VÉGÉTALISME					X	X	

EXEMPLES DE REPAS

Pour vous aider à atteindre vos objectifs de perte de poids et pour maximiser votre potentiel d'énergie, je vous propose un plan alimentaire végétarien. Voici des exemples de repas.

DÉJEUNER

Omelette

2 blancs d'œufs

1 œuf entier avec le jaune (ratio jaune/blancs 1/3)

⅓ tasse de légumes au choix ou sauce salsa sans sucre ajouté

3 à 4 mini grelots de fromage Bocconcini

Huile de noix de coco pour badigeonner (facultatif)

Ou

½ galette de riz nature avec 1 c. thé de beurre d'amandes

Breuvage : 125 ml de lait d'amandes sans sucre ajouté

Ou

Smoothie

175 à 200 ml de lait d'amandes nature, à la vanille ou au chocolat

1 mesure comble (20 à 25 g) de protéines végétales en isolat

DÎNER ET SOUPER

50 g de tofu biologique + ⅓ tasse de quinoa cuit ou de riz ou une galette de sarrasin

1 tasse de légumes colorés + quelques graines de citrouille rôties

15 ml d'huile d'olive et épices ou assaisonnement au choix

Ou

Spaghetti végé

1 portion de spaghetti de tofu bouilli

½ tasse de légumes cuits coupés en dés

½ tasse de sauce à la tomate

½ portion de légumes bouillis

Zestes de fromage au choix (facultatif)

Ou

Sauté de légumes, œufs et tofu

1 blanc d'œuf et un œuf complet

50 g de tofu soyeux bouilli

1 tasse de légumes sautés dans l'huile de noix de coco

Persil et coriandre

Épices fortes ou piments forts

Olives et noix de pin

COLLATIONS

L'après-midi : 1 fruit au choix et 5 à 8 amandes ou noix

En soirée : 125 ml de yogourt grec nature sans gras et sans fruit et 1 c. à thé de beurre d'amandes

Ce dont il faut se rappeler

Un végétarien - et à plus forte raison un végétalien - doit veiller, à chaque repas, à bien combiner ses aliments de façon à toujours obtenir tous les acides aminés essentiels qui lui sont nécessaires.

Un truc destiné aux végétariens et aux végétaliens

Les végétariens qui ont une certaine flexibilité au niveau alimentaire pourront ajouter un concentré ou isolat de protéines de lactosérum (Whey) à leur alimentation.

Cet ajout permettra d'augmenter facilement et efficacement l'apport en protéines complètes. Que ce soit en collation dans un smoothie ou en remplacement de repas, le concentré ou isolat de protéines de lactosérum est rapide à préparer, facile à digérer et a bon goût.

Les végétaliens quant à eux pourront trouver un équivalent dans les concentrés ou isolats de protéines végétales qui ne contiennent aucun produit de nature animale. Ces produits sont vendus dans les magasins de produits naturels et sportifs sous forme de poudres aromatisées.

Le soya : une bonne source de protéines, à consommer avec modération

On retrouve habituellement une forte consommation de soya chez les végétariens. Pourtant, les études en cours tendent à démontrer qu'il est préférable d'en réduire sa consommation, notamment parce que ses phyto-œstrogènes (molécules s'apparentant aux œstrogènes ou hormones féminines) pourraient éventuellement déstabiliser le processus naturel de fabrication hormonal. Jusqu'à ce jour, nous ne connaissons que partiellement l'impact cellulaire réel des phyto-œstrogènes. Le soya est considéré comme un aliment goïtrogène, donc potentiellement nuisible au fonctionnement optimal de la thyroïde, une glande responsable du métabolisme de base et de la capacité du corps à perdre du gras. De plus, le soya contient des inhibiteurs de protéases, des enzymes qui permettent de digérer les protéines. Donc, le soya contient une substance qui nuit à la digestion de sa propre protéine. Pour ces raisons, je suggère un maximum de 2 consommations de source de soya par jour pour les femmes, et une seule pour les hommes.

Source:
Doerge, D. R., et al., Goitrogenic and Estrogenic Activity of Soy Isoflavones, Environmental Health Perspectives, 2002; 100 (3): 349-353.
Conrad, S.C., et al., Soy Formula Complicates Management of Congenital Hypothyroidism, Archives od Diseases in Childhood, 2004; 89: 37-40.

Le soya fermenté

Je propose de consommer des formes de soya fermenté :
→ Le tofu fermenté ou sufu est obtenu en ensemençant du tofu avec des moisissures (du genre Actinomucor, Rhizopus ou Mucor), suivi d'un salage et d'un affinage. Variante : le tofu puant.
→ Le tempeh est fabriqué à partir de graines fermentées; il a une consistance plus ferme que celle du tofu.
→ Le natto est fabriqué à partir de graines fermentées et a une consistance plutôt gluante.
→ Le miso est fabriqué à partir d'une pâte de soya fermentée; il peut être utilisé dans les soupes, les sauces et comme aromate.
→ Le shoyu, communément appelé « sauce soya », est une sauce fabriquée à partir de graines de soya fermentées et d'une céréale torréfiée, fermentée et vieillie; il a un goût plus doux que le tamari.
→ Le tamari est une sauce de soya fermentée, sans blé, au goût plus prononcé que celui du shoyu.

Source: http://fr.m.wikipedia.org/wiki/Soya

Une suggestion

Afin de réduire l'effet cumulatif du soya dans votre alimentation, changez quelques sources alimentaires. Par exemple, au lieu de consommer du lait de soya, consommez du lait d'amandes.

Les bienfaits de l'huile de noix de coco

On suggère de consommer de l'huile de noix de coco car elle est riche en acides gras saturés. Ses bienfaits ont été démontrés.

L'huile de noix de coco contient :

→ De l'acide laurique, un stimulant du système immunitaire
→ Des triglycérides à chaîne moyenne qui permettent d'augmenter la dépense d'énergie
→ Des stérols qui favorisent la bonne santé cardiovasculaire
En prime, l'huile de noix de coco contribuerait à procurer un sentiment de satiété, un paramètre important dans la perte de poids.

CHAPITRE 12

LES RECETTES

DE MARTIN ALLARD

Afin de vous guider, les recettes que nous vous proposons comportent un indicateur de glucides par portion. Pour la perte de poids, privilégiez les recettes avec les indices verts ou jaunes. Les recettes dont l'indice est rouge sont réservées essentiellement aux repas permissifs ou sans restrictions.

Vert : 0 à 10 grammes de glucides
Jaune : 10 à 25 grammes de glucides
Rouge : 25 grammes de glucides et plus

Note aux lecteurs

Martin Allard n'a pas la prétention de soigner ni de traiter quelle que pathologie que ce soit. On suggère fortement de consulter un professionnel de la santé avant de s'engager dans un processus de perte de poids.

Salade julienne poulet et œufs

PORTIONS **2**

INGRÉDIENTS

Salade

350 g de poitrine de poulet, coupée en lanières
2 blancs d'œufs cuits durs, coupés en lanières
1 branche de céleri, en julienne
1 carotte pelée, en julienne
¼ poivron jaune, en julienne
¼ poivron orange, en julienne
1 petit concombre pelé, épépiné, en julienne
3 à 4 champignons nettoyés, coupés en fines tranches
Feuilles de laitue, au goût
Persil frais et ciselé, au goût
¼ tasse d'amandes effilées grillées

Vinaigrette

1 c. à thé de moutarde de Dijon
¼ tasse de mayonnaise légère
Sel et poivre, au goût
½ c. à thé de jus de citron

PRÉPARATION

Vinaigrette

1. Dans un petit bol, mélangez la moutarde et la mayonnaise. Salez et poivrez.

Salade

2. Cuire les haricots verts dans de l'eau bouillante salée, pendant 5 minutes. Les retirer avec une écumoire et les mettre dans un bol rempli d'eau froide. Dans la même eau bouillante, cuire le céleri et les carottes pendant 4 minutes, puis les mettre à refroidir dans le bol d'eau froide.
3. Bien égoutter les légumes et les assécher avec du papier absorbant.
4. Dans un grand bol, mettre les légumes cuits et les légumes crus et bien assaisonner.
5. Versez la vinaigrette sur la salade et bien mélanger.
6. Rectifier l'assaisonnement; arroser de jus de citron et bien mélanger.
7. Tapissez les assiettes de feuilles de laitue, puis ajoutez les légumes, le poulet et les œufs. Garnissez d'amandes effilées et de persil.

VALEUR NUTRITIVE PAR PORTION		
Calories	→	389,9
Matières grasses	→	13,5 g
Glucides	→	28,6 g
Protéines	→	42,7 g

INDICE GLUCIDES

Salade de pétoncles et haricots noirs

PORTIONS **2**

INGRÉDIENTS

1 gousse d'ail épluchée, écrasée et hachée
1 ½ c. à soupe de vinaigre balsamique blanc
½ c. à soupe d'estragon frais, ciselé
2 c. à soupe d'huile d'olive
250 g de petits pétoncles (20-40)
1 tasse de haricots noirs en conserve, égouttés et rincés
½ laitue Boston, lavée et essorée
Sel et poivre, au goût
1 pincée de piment de Cayenne (facultatif)
Persil frais, ciselé

PRÉPARATION

Vinaigrette

1. Dans un bol, mélangez l'ail, le vinaigre et l'estragon avec la moitié de l'huile. Assaisonner au goût et réserver.

Salade

2. Dans un poêlon antiadhésif, à feu moyen, chauffez le reste de l'huile. Faire revenir les pétoncles 1 minute. Ajoutez la vinaigrette et faire cuire 1 minute.
3. Ajoutez les haricots noirs et le piment de Cayenne; faire cuire 3 minutes à feu vif.
4. Ajoutez les pétoncles et les haricots noirs; remuez et rectifiez l'assaisonnement.
5. Parsemez de persil frais et servir.

VALEUR NUTRITIVE PAR PORTION		
Calories	→	390,2
Matières grasses	→	16,1 g
Glucides	→	22,6 g
Protéines	→	37,7 g

INDICE GLUCIDES

Salade aux crevettes

PORTIONS 2

INGRÉDIENTS

350 g de crevettes cuites, décortiquées et déveinées
1 laitue Boston, lavée et essorée
1 gros concombre libanais pelé, épépiné et tranché
1 c. à soupe d'oignons verts
1 échalote française, épluchée et hachée
¼ tasse d'huile d'olive
1 c. à thé de poivron orange, coupé en petits dés
Sel et poivre, au goût

PRÉPARATION

1. Garnir les assiettes de feuilles de laitue.
2. Mettre les crevettes dans un grand bol. Ajoutez le reste des ingrédients et bien mélanger. Assaisonnez au goût et servir sur la laitue.

VALEUR NUTRITIVE PAR PORTION

Calories	→	444,9
Matières grasses	→	29,9 g
Glucides	→	4,8 g
Protéines	→	38,5 g

Idées vinaigrettes et sauces d'accompagnement :

Ne conservez pas ces sauces plus de 72 h (même au frigo)

Vinaigrette allégée

INGRÉDIENTS

⅓ tasse d'huile d'olive
⅓ tasse de vinaigre de vin rouge
⅓ tasse d'eau
Sel et poivre, au goût

PRÉPARATION

Bien mélanger tous les ingrédients dans un petit bol.

VALEUR NUTRITIVE PAR PORTION DE 1 C. À THÉ		
Calories	→	16
Matières grasses	→	1,6 g
Glucides	→	0,3 g
Protéines	→	0 g

Sauce barbecue

INGRÉDIENTS

4 c. à thé de pâte de tomates
4 c. à soupe de crème fraîche 15 % m.g.
2 c. à thé de vinaigre de vin
2 échalotes françaises, hachées
2 c. à thé de sauce relish
1 c. à soupe de moutarde de Dijon
½ c. à thé de poudre d'oignon
1 c. à thé de persil frais, haché finement
Sel et poivre, au goût

PRÉPARATION

Bien mélanger tous les ingrédients dans un petit bol.

VALEUR NUTRITIVE PAR PORTION SANS COULIS		
Calories	→	4,8
Matières grasses	→	0,2 g
Glucides	→	0,6 g
Protéines	→	0,1 g

Sauce exotique

INGRÉDIENTS

½ tasse de vinaigre de vin blanc
½ tasse de sauce soya réduite en sodium
3 c. à soupe d'huile de sésame
2 c. à thé de gingembre râpé
2 c. à thé de ciboulette émincée

PRÉPARATION

Bien mélanger tous les ingrédients
dans un petit bol.

VALEUR NUTRITIVE PAR PORTION SANS COULIS		
Calories	→	5,5
Matières grasses	→	0,2 g
Glucides	→	0,6 g
Protéines	→	0,1 g

Sauce style mayonnaise légère

INGRÉDIENTS

½ c. à soupe de moutarde de Dijon
2 c. à thé de jus de citron
1 c. à thé de sauce style mayonnaise légère préparée
1 tasse d'huile d'olive
Sel et poivre blanc, au goût

PRÉPARATION

1. Dans un bol assez profond, combiner la moutarde, la mayonnaise préparée et la moitié du jus de citron. Salez, poivrez et bien fouetter.
2. Ajoutez l'huile d'olive en un mince filet, sans cesser de fouetter.
3. Lorsque la mayonnaise atteint la consistance souhaitée, ajoutez le reste du jus de citron et continuez de fouetter pendant 1 minute.

VALEUR NUTRITIVE PAR PORTION DE 1 C. À THÉ		
Calories	→	38,8
Matières grasses	→	4,4 g
Glucides	→	0 g
Protéines	→	0 g

NOTE IMPORTANTE Il est possible d'utiliser des sauces et vinaigrettes de type «Low carb» ou faibles en glucides vendues au supermarché ou à l'épicerie (ex.: marque «Smart Choice»). En faire usage avec modération car ces produits contiennent effectivement peu de glucides mais beaucoup de gras saturés et trans.

Salade de poulet au cari

PORTIONS **2**

INDICE GLUCIDES

INGRÉDIENTS

375 g de poitrine de poulet cuite, en dés
3 branches de céleri, coupées finement
2 c. à soupe de fromage Quark
½ oignon rouge haché
½ sachet Splenda
3 c. à table de sauce cari de votre choix
Feuilles de laitue, au goût
Sel et poivre, au goût

PRÉPARATION

1. Dans un bol, mélangez tous les ingrédients.
2. Selon vos goûts, ajoutez la sauce cari de votre choix. Salez et poivrez.
3. Tapissez les assiettes de feuilles de laitue; ajoutez les autres ingrédients et servez.

VALEUR NUTRITIVE PAR PORTION SANS LA VINAIGRETTE		
Calories	→	201,5
Matières grasses	→	1,4 g
Glucides	→	9,9 g
Protéines	→	37,6 g

Sauce 1:

Cari piquant

1 ½ c. à soupe de poudre de cari
1 ½ c. à soupe de moutarde de Dijon
4 à 5 gouttes de sauce Tabasco

Dans un bol, mélangez tous les ingrédients.

VALEUR NUTRITIVE PAR PORTION (45 ML)		
Calories	→	46,2
Matières grasses	→	2,2 g
Glucides	→	6,7 g
Protéines	→	2,2 g

Sauce 2:

Cari sucré

3 c. à soupe de fromage Quark
1 c. à thé de poudre de cari
2 c. à thé de moutarde de Dijon
1 sachet Splenda

Dans un bol, mélangez tous les ingrédients.

VALEUR NUTRITIVE PAR PORTION (45 ML)		
Calories	→	38
Matières grasses	→	5,1 g
Glucides	→	3,7 g
Protéines	→	0,8 g

INDICE GLUCIDES

Salade californienne

PORTIONS 3

INGRÉDIENTS

¼ ananas, coupé en dés
½ orange
½ pamplemousse
½ tasse de melon d'eau, coupé en dés
500 g de poitrines de poulet cuites, tranchées en lanières
¼ de tasse de sauce style mayonnaise légère
2 c. à soupe de yogourt nature 1 % m.g.
1 pincée de paprika
1 pincée de poudre d'oignon
Sel et poivre, au goût
2 tasses de salade mesclun

PRÉPARATION

Vinaigrette

1. Dans un bol, mélangez au fouet la sauce mayonnaise, le yogourt, la poudre d'oignon et le paprika. Ajustez l'assaisonnement au goût.

Salade

2. Pelez à vif l'orange et le pamplemousse. Retirez les suprêmes et réservez-les.

3. Répartir les lanières de poulet, les fruits et la salade mesclun dans un grand plat de service et arroser de vinaigrette.

VALEUR NUTRITIVE PAR PORTION

Calories	→	277
Matières grasses	→	8,3 g
Glucides	→	20,7 g
Protéines	→	32,6 g

INDICE GLUCIDES

Salade de pétoncles

PORTIONS 2

INGRÉDIENTS
2 c. à thé d'huile d'olive
2 tasses de pétoncles (20-40)
2 échalotes françaises, hachées
2 gousses d'ail, hachées
6 c. à soupe de jus d'orange
2 c. à thé de jus de citron
2 tasses de feuilles de chicorée, lavées et essorées
1 tasse d'oranges en suprêmes
2 c. à soupe de zestes d'orange
2 c. à thé de ciboulette fraîche, ciselée
Sel et poivre, au goût

PRÉPARATION
1. Dans un poêlon antiadhésif, à feu moyen, chauffer l'huile. Faire revenir les pétoncles 1 minute. Ajoutez l'échalote et l'ail. Poursuivre la cuisson 1 minute, en remuant de temps à autre.
2. Déglacez le poêlon avec le jus d'orange et le jus de citron; laissez réduire de moitié. Retirez du feu. Laissez tiédir 5 minutes.
3. Déposez la chicorée, les suprêmes d'orange et les zestes d'orange dans un grand bol. Salez et poivrez. Versez la préparation tiède de pétoncles. Garnissez de ciboulette au moment de servir.

VALEUR NUTRITIVE PAR PORTION		
Calories	→	323,9
Matières grasses	→	7,6 g
Glucides	→	16,8 g
Protéines	→	45,8 g

Bœuf indien

PORTIONS **2**

INGRÉDIENTS

350 g de bifteck de contre-filet, coupé en lanières
1 poivron rouge, coupé en lanières
1 oignon tranché
1 c. à soupe d'huile de noix de coco
2 c. à thé de poudre de cari
2 c. à soupe de sauce soya à faible teneur en sodium
½ tasse de tomates, coupées en petits dés
1 c. à soupe de coriandre fraîche, ciselée

Accompagnement
1 tasse de choux-fleurs vapeur

PRÉPARATION

1. Dans un poêlon antiadhésif, saisir les lanières de bifteck dans la moitié de l'huile. Réserver dans une assiette. Jetez l'huile et asséchez le poêlon avec un papier essuie-tout.
2. Dans le même poêlon, ajoutez le reste de l'huile, l'oignon et le poivron rouge, et cuire jusqu'à ce que les poivrons commencent à dorer.
3. Ajoutez les tomates, la sauce soya et le cari.
4. Mettre les lanières de bifteck dans le poêlon et poursuivre la cuisson environ 2 minutes en remuant.
5. Ajoutez la coriandre fraîche et servir avec les choux-fleurs.

INDICE GLUCIDES

VALEUR NUTRITIVE PAR PORTION		
Calories	→	391,2
Matières grasses	→	16,7 g
Glucides	→	17,2 g
Protéines	→	42,5 g

Saumon sauvette

PORTIONS **2**

INGRÉDIENTS

2 c. à soupe d'huile d'olive
1 c. à thé de vinaigre balsamique
1 c. à soupe d'aneth frais, ciselé
150 ml de fromage cottage 1 % m.g.
4 tranches (100 g) de saumon fumé
1 tasse de salade mesclun
¼ tasse d'oignons rouges, tranchés finement
1 c. à thé de câpres
2 c. à soupe de pacanes, nature
2 c. à soupe d'amandes, nature
Sel et poivre, au goût

PRÉPARATION

Vinaigrette

1. Mélanger l'huile avec le vinaigre, l'aneth, le sel et le poivre.

Salade

2. Disposez la salade sur l'assiette et nappez de vinaigrette à l'aneth.
3. Répartir le fromage cottage, le saumon et les noix.
4. Poivrez le fromage cottage et parsemez d'aneth haché, d'oignons et de câpres.

VALEUR NUTRITIVE PAR PORTION AVEC FROMAGE COTTAGE

Calories	→	452,6
Matières grasses	→	38,6 g
Glucides	→	7,6 g
Protéines	→	20,7 g

INDICE GLUCIDES

Œufs farcis à la chair de crabe

PORTIONS **2**

INGRÉDIENTS

6 œufs cuits durs, écalés
4 c. à soupe de mayonnaise légère
2 c. à soupe de céleri haché fin
2 c. à thé de moutarde de Dijon
1 c. à thé de persil haché fin
1 c. à thé de ciboulette fraîche, ciselée
⅛ c. à thé de poudre d'oignon
5 à 6 gouttes de sauce Worcestershire
170 ml (6 oz) de chair de crabe à salade, égouttée
Sel et poivre, au goût

PRÉPARATION

1. Coupez les œufs en deux sur le long. Enlever les jaunes et réserver dans un bol.
2. À l'aide d'une fourchette, écrasez les jaunes; ajoutez la mayonnaise, le céleri, la moutarde, le persil, la ciboulette, la poudre d'oignon et la sauce Worcestershire. Ajoutez la chair de crabe; mélangez et assaisonnez au goût.
3. Remplir les cavités des blancs d'œufs de la préparation de jaunes et parsemez de ciboulette fraîche. Servir immédiatement ou couvrir et conserver au réfrigérateur.

VALEUR NUTRITIVE PAR PORTION		
Calories	→	353,8
Matières grasses	→	26,2 g
Glucides	→	6 g
Protéines	→	25,4 g

INDICE GLUCIDES

Saumon à l'orange

PORTIONS 2

INGRÉDIENTS

2 c. à soupe de jus d'orange
½ c. à thé de stevia
1 c. à soupe de sauce soya
1 gousse d'ail écrasée
2 filets de saumon (375 g)
2 tranches d'orange
Persil frais, ciselé
Poivre, au goût

Accompagnement

1 tasse de courgettes vertes et jaunes coupées
en rondelles

PRÉPARATION

1. Préchauffez le four à 400 °F.
2. Dans un petit bol, mélangez le jus d'orange, le stevia, la sauce soya et l'ail.
3. Déposer les filets de saumon sur un papier d'aluminium et verser la sauce à l'orange sur le poisson. Ajouter la tranche d'orange et le persil sur le dessus.
4. Fermer le papier d'aluminium et cuire au four pendant 15 minutes.
5. Ajustez l'assaisonnement et servir avec les zucchinis.

VALEUR NUTRITIVE PAR PORTION

Calories	→	389
Matières grasses	→	21,6 g
Glucides	→	7,1 g
Protéines	→	39,8 g

VALEUR NUTRITIVE PAR PORTION		
Calories	→	544
Matières grasses	→	25,6 g
Glucides	→	12 g
Protéines	→	43,9 g

Bœuf à la sauce aux champignons

PORTIONS 2

INGRÉDIENTS

3 c. à soupe d'huile d'olive
1 ½ échalote française, pelée et hachée
1 gousse d'ail hachée
1 tasse de champignons, tranchés
1 c. à soupe de vinaigre balsamique
¾ tasse de demi-glace de veau
½ c. à thé de pâte de tomates
2 biftecks de surlonge de 175 g, dégraissés
1 c. à soupe persil frais, ciselé
Sel et poivre, au goût
Accompagnement
1 tasse de haricots verts

PRÉPARATION

1. Chauffez 2 c. à soupe d'huile dans un grand poêlon à feu moyen. Faites revenir les échalotes et l'ail 1 minute.
2. Ajoutez les champignons; assaisonner et faire cuire 4 minutes. Arrosez de vinaigre et poursuivre la cuisson 1 minute.
3. Incorporez la demi-glace de veau et la pâte de tomates. Laissez mijoter 8 minutes à feu doux.
4. Faites chauffer le reste de l'huile dans un autre grand poêlon à feu vif. Faites revenir les biftecks 2 minutes d'un côté. Les retourner; bien assaisonner et baisser le feu à moyen.
5. Salez et poivrez. Poursuivre la cuisson 2 à 3 minutes. Rectifiez le temps de cuisson au besoin.
6. Parsemez de persil et servez les biftecks nappés de sauce aux champignons. Servir avec des haricots verts.

Jambon à l'os à la sauce à la citrouille

PORTIONS 2

INGRÉDIENTS

4 tranches (375 g) de jambon à l'os, fumé
2 tasses de purée de citrouille
2 c. à soupe d'huile d'olive
Sel et poivre au goût
4 c. à soupe de fromage ricotta (1 % m.g.)
1 pincée de muscade
2 tasses de bouillon de poulet
½ oignon, coupé en lanières
1 gousse d'ail hachée
1 c. à soupe d'huile de noix de coco

Accompagnement

1 tasse de pois mange-tout

PRÉPARATION

1. Chauffez doucement les tranches de jambon à la vapeur ou au micro-ondes.
2. Dans une sauteuse, faire chauffer l'huile, puis y faire revenir l'oignon, l'ail et le poivron 3 à 4 minutes. Ajoutez le bouillon de poulet et l'eau, et portez à ébullition.
3. Couvrez et laissez mijoter de 15 à 20 minutes ou jusqu'à ce que les tranches de poivrons soient tendres.
4. Passez au mélangeur et incorporez la purée de citrouille, le fromage ricotta et la muscade. Si la sauce est trop épaisse, la délayer avec un peu d'eau.
5. Nappez les tranches de jambon de sauce à la citrouille et servir avec les pois mange-tout.

VALEUR NUTRITIVE PAR PORTION		
Calories	→	503,9
Matières grasses	→	28,3 g
Glucides	→	16,8 g
Protéines	→	45,4 g

Jambon mijoté

INGRÉDIENTS

1 jambon fumé dans l'épaule avec os de 3,5 kg
1 branche de céleri, coupée en tronçons
1 carotte, pelée et coupée en tronçons
2 oignons, pelés et coupés en quartiers
1 pincée de cannelle
4 feuilles de laurier
3 clous de girofle
1 pincée de muscade
6 grains de poivre noir

PRÉPARATION

1. Retirez la couenne du jambon.
2. Déposez le jambon dans une grande marmite et couvrir d'eau froide.
3. Faites bouillir 1 minute et mijoter de 3 à 4 heures en changeant l'eau une fois à la mi-cuisson.
4. Désossez et dégraissez le jambon avant de le servir.

Foie de veau aux oignons

PORTIONS **2**

INGRÉDIENTS

250 g de foie de veau, réparti en deux
4 c. à thé d'huile d'olive
1 oignon, coupé en lanières
¼ tasse de vin blanc sec
2 c. à soupe de bouillon de poulet
2 c. à thé de persil frais, haché
Sel et poivre, au goût
Accompagnement
1 tasse de brocolis vapeur

VALEUR NUTRITIVE PAR PORTION		
Calories	→	395,9
Matières grasses	→	17,8 g
Glucides	→	15,6 g
Protéines	→	37,5 g

INDICE GLUCIDES

PRÉPARATION

1. Dans un poêlon, chauffez 2 c. à thé d'huile et faites suer l'oignon avec 2 c. à soupe de bouillon, jusqu'à légère coloration.
2. Dans le même poêlon, ajoutez le reste d'huile d'olive et, à feu vif, faire sauter le foie pendant approximativement 3 minutes pour une cuisson rosée, puis assaisonner.
3. Déglacez avec le vin blanc en frottant le fond du poêlon pour récupérer les sucs de viande et ajoutez le reste du bouillon de poulet.
4. Retirez du feu et parsemez de persil. Servir avec les brocolis vapeur.

Filets de porc à l'ananas

PORTIONS 2

INGRÉDIENTS

1 filet de porc (350 g)
2 c. à soupe d'huile de noix de coco
1 poivron vert, en tranches épaisses
1 poivron rouge, en tranches épaisses
3 échalotes françaises, coupées en lanières
2 gousses d'ail pelées, émincées
1 c. à thé de gingembre, haché
½ tasse d'ananas en dés
2 tasses de bouillon de poulet
1 c. à soupe de sauce soya
1 ½ c. à soupe de fécule de maïs
2 c. à soupe d'eau froide
Sel et poivre, au goût

PRÉPARATION

1. Dégraissez les filets de porc et tranchez la viande en lanières d'environ 1 cm (½ po) de large.
2. Chauffez 1 c. à soupe d'huile dans un grand poêlon. À feu moyen, faites revenir la viande 2 minutes sur chaque face. Assaisonner pendant la cuisson. Réserver.
3. Versez le reste de l'huile dans le poêlon chaud. Ajoutez les poivrons, les échalotes, l'ail et le gingembre; bien assaisonner. Cuire 2 minutes à feu moyen.
4. Incorporez le jus d'ananas, le bouillon et la sauce soya. Bien mélanger et cuire 4 minutes.
5. Délayez la fécule de maïs dans l'eau froide; l'incorporer à la sauce.
6. Ajoutez les dés d'ananas et remettez la viande dans le poêlon; laissez mijoter 2 minutes. Servir.

VALEUR NUTRITIVE PAR PORTION		
Calories	→	532,7
Matières grasses	→	28,8 g
Glucides	→	23,7 g
Protéines	→	45,9 g

INDICE GLUCIDES

Burritos au bœuf

PORTIONS **2**

INGRÉDIENTS

2 c. à soupe d'huile d'olive
1 gousse d'ail, hachée
1 oignon, haché
227 g de bœuf haché extra-maigre
1 tasse de poivrons rouges, coupés en dés
2 c. à thé de pâte de tomates
2 c. à thé de cumin
1 c. à thé de paprika
1 c. à thé de jus de lime
Sel et poivre, au goût
2 tortillas de blé entier
½ tasse de laitue déchiquetée

PRÉPARATION

1. Chauffez l'huile dans un grand poêlon. À feu moyen, faites revenir l'oignon et l'ail 1 minute.
2. Ajoutez la viande hachée, le cumin, le paprika et faites brunir la viande 3 minutes.
3. Ajoutez les poivrons, la pâte de tomates et le jus de lime. Bien mélanger et cuire 4 minutes en remuant.
4. Salez et poivrez.
5. Réchauffez les tortillas 15 secondes à haute intensité au micro-ondes.
6. Étendez la préparation sur les tortillas. Garnissez de laitue et roulez.

VALEUR NUTRITIVE PAR PORTION		
Calories	→	493,8
Matières grasses	→	26 g
Glucides	→	25,2 g
Protéines	→	39,4 g

Pour un apport glucidique moindre, remplacez les 2 tortillas de blé entier par 2 grandes feuilles de laitue romaine.

VALEUR NUTRITIVE PAR PORTION		
Calories	→	403,5
Matières grasses	→	25,9 g
Glucides	→	6 g
Protéines	→	36,1 g

INDICE GLUCIDES

Omelette aux tomates séchées et parmesan

PORTIONS 2

INGRÉDIENTS

1 c. à thé d'huile d'olive
4 oignons verts hachés
8 œufs
4 c. à soupe de yogourt nature 1 % m.g.
2 c. à soupe de fromage parmesan, râpé
2 c. à thé de tomates séchées au soleil, hachées finement
Sel et poivre, au goût

Accompagnement

Mélangez ½ tasse de tomates cerises, quelques feuilles de basilic frais et ajoutez au goût du jus de citron, sel et poivre.

PRÉPARATION

1. Dans un bol, battre les œufs, l'oignon vert, le yogourt, le parmesan et les tomates séchées. Salez et poivrez.
2. Faites chauffer l'huile dans un poêlon antiadhésif de 8 po à feu mi-vif.
3. Versez ½ tasse du mélange aux œufs dans le poêlon. Quand les œufs commencent à prendre sur les bords, utilisez une spatule pour pousser doucement les parties cuites vers le centre, en inclinant le poêlon pour faire glisser les œufs liquides en dessous.
4. Glissez une spatule large sous la moitié de l'omelette et pliez en deux. Glissez l'omelette dans l'assiette de service. Servir avec la salade de tomates cerises.

VALEUR NUTRITIVE PAR PORTION

Calories	→	397,7
Matières grasses	→	25,3 g
Glucides	→	9,8 g
Protéines	→	30,7 g

VALEUR NUTRITIVE PAR PORTION		
Calories	→	407
Matières grasses	→	26,8 g
Glucides	→	9 g
Protéines	→	32 g

INDICE GLUCIDES

Omelette aux légumes

PORTIONS 2

INGRÉDIENTS

2 tasses de champignons, sautés
½ tasse de courgettes en demi-rondelles
½ tasse de poivrons rouges hachés
8 œufs
2 c. à soupe de lait écrémé
½ c. à thé de sel
¼ c. à thé de poivre
2 c. à thé de beurre
4 c. à soupe de fromage faible en gras

PRÉPARATION

1. Dans un bol, battez les œufs à la fourchette avec le lait, le sel et le poivre.
2. Faites chauffer un poêlon antiadhésif de 8 po à feu mi-vif. Ajoutez 1 c. à thé de beurre et faites fondre.
3. Versez ½ tasse du mélange aux œufs dans le poêlon. Quand les œufs commencent à cuire sur les rebords, utilisez une spatule et poussez doucement les parties cuites vers le centre, en inclinant le poêlon pour faire glisser les œufs plus liquides vers le dessous.
4. Quand les œufs sont presque pris en surface, mais encore humides, déposer les légumes sur la moitié de l'omelette et parsemer de 2 c. à soupe (30 ml) de fromage. Glisser une spatule large sous la moitié non garnie et plier celle-ci sur la garniture. Glisser l'omelette dans l'assiette de service.

INDICE GLUCIDES

Brochettes de poulet

PORTIONS 2

INGRÉDIENTS

454 g (1 lb) de poitrines de poulet
coupées en cubes

Marinade

2 c. à soupe de moutarde de Dijon
1 c. à soupe de vinaigre de vin blanc
1 c. à soupe de romarin frais
1 échalote française, hachée
1 c. à soupe d'huile d'olive
½ tasse de bouillon de poulet sans gras

Sauce

3 c. à soupe de sauce genre mayonnaise légère
½ tasse de crème sure sans gras
1 c. à soupe de moutarde à l'ancienne
2 c. à soupe de ciboulette fraîche, ciselée
½ c. à thé de jus de citron
¼ c. à thé d'ail en poudre
Sel et poivre, au goût

PRÉPARATION

1. Dans un contenant hermétique, mélanger tous les ingrédients de la marinade. Déposez les cubes de poulet dans la marinade et laissez mariner au réfrigérateur au moins 6 heures ou toute la nuit.

2. Enfilez les cubes de poulet marinés sur une brochette et cuire sur le gril à feu moyen jusqu'à disparition de la coloration rosée.

3. Dans un bol, mélanger tous les ingrédients de la sauce à servir avec les brochettes.

VALEUR NUTRITIVE PAR PORTION DE POULET + MARINADE		
Calories	→	349,8
Matières grasses	→	11,2 g
Glucides	→	3 g
Protéines	→	56,5 g

Frittata aux courgettes et champignons

PORTIONS **2**

INGRÉDIENTS

1 c. à soupe d'huile d'olive
½ oignon haché
1 tasse de courgettes coupées en rondelles
½ tasse de champignons coupés en tranches
¼ tasse de poivrons rouges coupés en dés
½ c. à thé de basilic
Sel et poivre, au goût
8 œufs
2 c. à soupe de fromage romano, râpé
Accompagnement
1 tasse d'asperges cuites au four ou à la vapeur

PRÉPARATION

1. Préchauffez le four en sélectionnant la fonction «gril» ou «broil».
2. Dans un bol, battre les œufs avec le fromage. Salez et poivrez.
3. Dans un grand poêlon antiadhésif allant au four, faites chauffer l'huile à feu moyen et suer l'oignon.
4. Ajoutez les courgettes, les champignons, les poivrons et le basilic. Cuire jusqu'à ce que les légumes soient mi-cuits.
5. Versez les œufs sur les légumes et remuez. Cuire 5 à 7 minutes à feu doux.
6. Terminez la cuisson au four afin de bien dorer la surface. Laissez refroidir quelques minutes et servir avec les asperges.

VALEUR NUTRITIVE PAR PORTION

Calories	→	436,7
Matières grasses	→	30,2 g
Glucides	→	9,7 g
Protéines	→	30,6 g

Pâte à pizza ou pain à sandwich

PORTIONS 2

INGRÉDIENTS

2 c. à thé d'huile de noix de coco
2 œufs
2 c. à soupe de blancs d'œufs
1 portion de poudre de protéines nature
1 c. à soupe de farine d'amandes ou amandes moulues
1 c. à thé de gomme de xanthane
Sel, au goût

PRÉPARATION

1. Mélangez les œufs, la poudre de protéines, la farine d'amandes et la gomme de xanthane. Laissez reposer 30 minutes.
2. Chauffez l'huile dans un poêlon de 8 à 10 pouces à feu moyen. Cuire de la même manière qu'une crêpe.
3. Garnir comme une pizza ou servir comme un pain à sandwich.
4. Cette recette est très riche en protéines; donc, consultez votre stratégie pour vous assurer qu'elle convienne.

VALEUR NUTRITIVE PAR PORTION		
Calories	→	202,2
Matières grasses	→	11,3 g
Glucides	→	3,5 g
Protéines	→	21,6 g

INDICE GLUCIDES

Sauté de légumes végétarien

PORTIONS 2

INGRÉDIENTS

2 échalotes françaises, tranchées
1 gousse d'ail, haché
4 œufs cuits durs, écalés
100 g de tofu ferme, en petites tranches
⅓ poivron vert, tranché
⅓ poivron rouge, tranché
⅓ poivron jaune, tranché
4 champignons, tranchés
4 c. à soupe d'huile d'olive
⅛ c. à soupe de chilis broyés
½ tasse d'olives noires dénoyautées, tranchées
2 c. à soupe de basilic frais, ciselé
2 c. à thé d'amandes moulues
Sel et poivre, au goût

PRÉPARATION

1. Dans un grand poêlon, faites chauffer l'huile à feu moyen. Faites revenir les échalotes, les champignons et les poivrons 3 à 4 minutes.
2. Ajoutez le tofu, l'ail et les chilis. Faites sauter 2 minutes.
3. Incorporez les œufs, salez et poivrez. Faites sauter 1 minute.
4. Ajoutez les olives et le basilic.
5. Saupoudrez d'amandes moulues et servez.

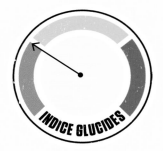

INDICE GLUCIDES

VALEUR NUTRITIVE PAR PORTION		
Calories	→	484,4
Matières grasses	→	44,1 g
Glucides	→	10 g
Protéines	→	22,6 g

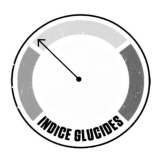

INDICE GLUCIDES

Brochettes d'agneau

PORTIONS 2

INGRÉDIENTS
325 g d'agneau en cubes (gigot ou épaule)
¼ tasse de vin blanc sec
1 c. à soupe d'huile d'olive
2 feuilles de laurier
2 gousses d'ail hachées
½ oignon rouge pelé, haché finement
Sel et poivre, au goût

Accompagnement
18 tomates cerises jaunes
4 champignons

PRÉPARATION

Marinade
1. Dans un contenant hermétique, mélangez tous les ingrédients et ajoutez l'agneau. Réfrigérez pour un minimum de 5 heures ou toute une nuit.

Brochettes d'agneau
2. Préchauffez le four à 400 °F.
3. Enfilez les cubes d'agneau sur des brochettes et badigeonnez-les de marinade.
4. Dans un grand poêlon, dorez les brochettes à feu moyen. Réservez dans un grand plat de cuisson.
5. Salez et poivrez.
6. Cuire les brochettes au four de 4 à 5 minutes; les tourner 2 ou 3 fois pendant la cuisson tout en les badigeonnant de marinade.
7. Servir avec les légumes en accompagnement.

VALEUR NUTRITIVE PAR PORTION		
Calories	→	359,6
Matières grasses	→	16,1 g
Glucides	→	11,5 g
Protéines	→	36,5 g

Quelques idées d'assaisonnement pour les viandes...

Sauces et trempettes très faibles en glucides. Se prêtent en accompagnement à nos recettes actuelles ou se dégustent en trempettes avec vos légumes préférés. En fin de journée ou en soirée, elles sont des plus faciles à préparer.

Poulet assaisonné « all dressed »
(4 bonnes poitrines)

1 c. à thé de sel de mer
1 c. à thé de basilic
1 c. à thé de romarin
½ c. à thé de poudre d'ail
½ c. à thé de moutarde sèche
½ c. à thé de paprika
½ c. à thé de poivre noir moulu
½ c. à thé de thym
¼ c. à thé de sel de céleri
¼ c. à thé de persil
⅛ c. à thé de piment de Cayenne
⅛ c. à thé de cumin
⅛ c. à thé de bouillon de poulet en poudre
4 c. à soupe d'huile d'olive

Rôti de bœuf à la mijoteuse
(4 livres environ)

1 c. à soupe de poivre
1 c. à soupe de paprika
2 c. à thé de poudre de chili
½ c. à thé de sel de céleri
½ c. à thé de poivre de Cayenne
½ c. à thé de poudre d'ail
¼ c. à thé de moutarde sèche
1 ½ tasse d'eau

Crevettes au cari
(20 crevettes moyennes)

2 c. à soupe de poudre de cari jaune doux
½ c. à thé de sel d'ail
2 c. à soupe d'huile d'olive

Poulet à la moutarde
(4 poitrines environ)

3 c. à soupe de moutarde de Dijon
2 c. à soupe de moutarde à l'ancienne
4 c. à soupe d'huile d'olive

Bœuf mexicain
(1 livre de bœuf haché environ)

1 c. à soupe de poudre de chili
¼ c. à thé de poudre d'ail
¼ c. à thé de poudre d'oignon
¼ c. à thé de piments rouges broyés
¼ c. à thé d'origan
½ c. à thé de paprika
1 ½ c. à thé de cumin
1 c. à thé de sel
1 c. à thé de poivre

VALEUR NUTRITIVE PAR PORTION		
Calories	→	61,5
Matières grasses	→	0,3 g
Glucides	→	14 g
Protéines	→	2,4 g

Soupe au chou

PORTIONS 8

INGRÉDIENTS

3 gousses d'ail, hachées
2 gros oignons, tranchés en lanières
1 boîte de 398 ml de tomates coupées en dés
1 petite tête de chou, tranchée en lanières
3 litres d'eau
1 poivron rouge, coupé en dés
2 carottes, coupées en dés
1 branche de céleri, coupée en dés
3 c. à thé persil frais, ciselé
Sel poivre, au goût
Tabasco, au goût

PRÉPARATION

1. Dans une grande casserole, faites suer les carottes, le céleri et l'oignon dans l'huile sans coloration, environ 5 minutes.
2. Ajoutez le chou, le poivron et l'ail. Poursuivre la cuisson environ 7 à 10 minutes.
3. Ajoutez la boîte de tomates et l'eau. Portez à ébullition. Couvrir. Laissez mijoter doucement environ 30 minutes.
4. Ajoutez le persil et assaisonnez au goût.

INDICE GLUCIDES

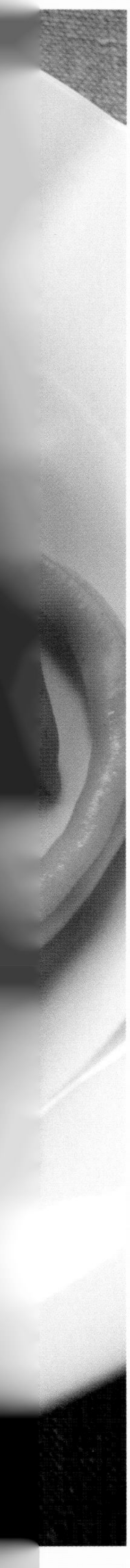

Mahi mahi au coulis de poivron et ail confit

PORTIONS 2

INGRÉDIENTS

Mahi mahi
2 filets de mahi mahi (375 g)
1 c. à thé d'herbes de Provence
1 c. à thé de jus de citron
1 c. à soupe d'huile d'olive

Coulis de poivron rouge
1 c. à soupe huile d'olive
½ tasse d'oignons hachés
1 poivron rouge, en tranches épaisses
1 tête d'ail confite*
1 tasse de vin blanc
2 c. à soupe de bouillon de poulet
Sel et poivre, au goût

Accompagnement
1 tasse de haricots jaunes
1 tasse de courgettes

PRÉPARATION

Mahi mahi
1. Préchauffez le four à 400 °F.
2. Sur une plaque, déposez les filets de mahi mahi. Arroser le poisson de jus de citron et de l'huile d'olive.
3. Parsemez les herbes de Provence. Salez et poivrez.
4. Faites cuire au four 8 à 10 minutes.

Coulis
5. Dans une casserole, chauffez l'huile d'olive; faites revenir l'oignon et le poivron à feu moyen environ 6 minutes.
6. Ajoutez l'ail, le vin, le bouillon de poulet et le poivre. Poursuivre la cuisson jusqu'à ce que le vin soit réduit de moitié. Réduire en purée à l'aide d'un mélangeur électrique.

Au moment de servir, arrosez les filets de coulis de poivron rouge. Servir avec les haricots et les courgettes.

*Tête d'ail confite
Couper l'extrémité des gousses d'ail avec un couteau; les envelopper dans un papier d'aluminium. Mettre au four à 400 °F environ 40 minutes.

VALEUR NUTRITIVE PAR PORTION		
Calories	→	479,8
Matières grasses	→	17,5 g
Glucides	→	16,4 g
Protéines	→	39,5 g

Purée de légumes
(accompagnement)

PORTIONS **4**

INGRÉDIENTS

4 carottes moyennes, coupées en rondelles
1 petit navet, coupé en petits cubes
5 fleurons de brocoli, cuits à la vapeur
2 c. à thé de beurre
¼ tasse de lait écrémé
Sel et poivre, au goût

PRÉPARATION

1. Dans une casserole remplie d'eau,
   cuire le navet et les carottes.
2. Égouttez et incorporez les fleurons de brocoli.
3. À l'aide d'un robot culinaire réduire les légumes
   en purée. Ajouter le lait et le beurre. Mélangez
   jusqu'à homogénéité. Salez et poivrez.

VALEUR NUTRITIVE PAR PORTION

Calories	→	65,7
Matières grasses	→	2,3 g
Glucides	→	10,2 g
Protéines	→	2,3 g

Salsa de tomates et concombres
(accompagnement)

PORTIONS **4**

VALEUR NUTRITIVE PAR PORTION

Calories	→	84,3
Matières grasses	→	7,1 g
Glucides	→	5,2 g
Protéines	→	0,9 g

INGRÉDIENTS

½ tasse d'oignons rouges, coupés en petits dés
½ piment Jalapeno, coupé en petits dés (facultatif)
2 tomates épépinées, coupées en petits dés
⅔ tasse de concombre épluché, épépiné, coupé en petits dés
Jus d'une demie lime
Zestes d'une lime
2 c. à soupe d'huile d'olive
Coriandre, au goût
Sel et poivre, au goût

PRÉPARATION

Dans un grand bol, bien mélanger tous les ingrédients.
Servez immédiatement ou mieux encore, réfrigérez
24 heures pour laisser le temps aux saveurs de s'amalgamer.

INDICE GLUCIDES

Smoothie éclair

PORTIONS 2

INGRÉDIENTS

1 tasse de petits fruits surgelés, sans sucre ajouté
1 ½ tasse de lait d'amandes, non sucré
4 c. à soupe de graines de chia blanches

PRÉPARATION

Mélangez tous les ingrédients au robot
ou au mélangeur électrique et servez.

VALEUR NUTRITIVE PAR PORTION		
Calories	→	163
Matières grasses	→	8,8 g
Glucides	→	18,8 g
Protéines	→	4,5 g

Crêpe aux patates sucrées

PORTIONS **6**

INGRÉDIENTS

1 c. à thé d'huile de noix de coco
3 tasses de purée de patates sucrées
2 œufs
6 blancs d'œufs
¼ tasse de protéines en poudre
3 c. à soupe de farine d'amandes (amandes moulues)
¼ c. à thé de cannelle
1 pincée de muscade
½ c. thé de gomme de xanthane
6 c. à soupe d'amandes effilochées

PRÉPARATION

1. Dans un bol, bien mélanger tous les ingrédients secs.
2. Fouettez les œufs jusqu'à ce que le mélange soit mousseux. Ajoutez-les aux ingrédients secs et mélangez.
3. Chauffez l'huile dans un poêlon antiadhésif et versez environ ½ tasse de la pâte à crêpe.
4. Faites cuire jusqu'à ce que les deux côtés soient dorés; parsemez d'amandes et servir.

VALEUR NUTRITIVE PAR PORTION		
Calories	→	206,6
Matières grasses	→	6,8 g
Glucides	→	24 g
Protéines	→	13,5 g

Brownies

PORTIONS 8

INGRÉDIENTS
6 blancs d'œufs
1 œuf
1 ½ tasse de fromage ricotta 1 % m.g.
1 ½ tasse de yogourt grec nature 2 %
½ tasse de protéines en poudre au chocolat
½ tasse de noix de Grenoble
½ tasse de cacao en poudre
2 c. à soupe de farine d'amandes
⅛ c. à thé de sel
1 c. à thé de poudre à pâte
½ c. à thé d'extrait de vanille
1 c. à thé de gomme de xanthane

PRÉPARATION
1. Préchauffez le four à 350 °F et beurrez un moule de 9 x 9 po.
2. Dans un bol, bien mélanger tous les ingrédients secs. Réservez 2 c. à soupe de noix de Grenoble dans un bol.
3. Fouettez les œufs avec le ricotta, l'extrait de vanille et le yogourt grec jusqu'à ce que le mélange soit mousseux. Ajoutez-les aux ingrédients secs et mélangez.
4. Versez dans le moule et garnissez de noix de Grenoble.
5. Faites cuire de 20 à 30 minutes. Pour vérifier la cuisson, piquez un cure-dent dans le brownie; s'il ressort sec du mélange, le brownie est prêt.
6. Laissez refroidir et démoulez à l'aide d'un couteau.

VALEUR NUTRITIVE PAR PORTION SANS COULIS

Calories	→	157,1
Matières grasses	→	8,2 g
Glucides	→	8,4 g
Protéines	→	15,7 g

Coulis de chocolat

PORTIONS 8

INGRÉDIENTS
3 c. à soupe de protéines en poudre au chocolat
3 c. à soupe de beurre d'arachides nature, croquant
½ tasse d'eau

PRÉPARATION
1. Bien mélanger tous les ingrédients dans un petit bol jusqu'à homogénéité.
2. Servir sur le brownie ou en accompagnement.

VALEUR NUTRITIVE PAR PORTION

Calories	→	46,3
Matières grasses	→	3,1 g
Glucides	→	1,7 g
Protéines	→	3,6 g

BIBLIOGRAPHIE

Michel Barrette

→ Alcool
Source: Juillière Y, Gillet C. Alcool et hypertension artérielle. Alcoologie 1996;18:331-4.

Altura BM, Altura BT. Peripheral and cerebrovascular actions of ethanol, acetaldehyde, and acetate: Relationship to divalent cations. Acohol Clin Exp Res 1987;11: 99-111.

→ Bleuets
Source: Passeportsanté.net

Kalt W, Ryan DA, et al. Interspecific variation in anthocyanins, phenolics, and antioxidant capacity among genotypes of highbush and lowbush blueberries (Vaccinium section cyanococcus spp.). J Agric Food Chem. 2001;49:4761-4767.

→ Sel
Source: Santé Canada

→ Hypertension artérielle et maladies cardiovasculaires
Étude de Juillet 2007 British Médical Journal

Source: sante-medecine.commentcamarche.net

Maxime Landry

→ Protéines
Source: Dictionnaire de poche de la langue française Larousse étymologique.

Adib Alkhalidey

→ Curcuma
Source: Dr Richard Béliveau, www.richardbeliveau.org

Anick Dumontet

→ Types «pomme» ou «poire»
Source: NutriLife Blog.

François Morency

→ Aliments acidifiants et aliments alcalins
Source: The Acid-Alkaline Food Guide. A quick reference to foods & their effect on pH levels. Dr. Susan E. Brown and Larry Trivieri Jr. SquareOne Publishers, États-Unis, 2006.

→ Mélatonine
Source: Santé Canada. Médicaments et produits de santé. Produits de santé naturels.

Mario Tessier

→ Morphotypes
Dr William Sheldon

→ Musculation
Boston University School of Medicine (BUSM)

→ Activité physique
François Testu de l'Université de Tours

Claude Legault

→ Système immunitaire
Source: Passeportsante.net

→ Probiotiques
Source: Passeport santé.net

1. de Vresse M, Stegelmann A, et al. Probiotics: compensation for lactase insufficiency. Am J Clin Nutr 2001;73(2Suppl):421S-29S. Texte intégral: www.ajcn.org

2. Penner R, Fedorak RN, Madsen KL. Probiotics and nutraceuticals: non-medicinal treatments of gastrointestinal diseases. Curr Opin Pharmacol. 2005 Dec;5(6):596-603. Review.

3. Haddad PS, Azar GA, et al. Natural health products, modulation of immune function and prevention of chronic diseases. Evid Based Complement Alternat Med. 2005 Dec;2(4):513-20. Texte integral: http://ecam.oxfordjournals.org

Anaïs Favron

→ Les protéines
Source: www.inserm.fr

→ Éviter la maladie en voyage
Source: Santé Canada

Ma méthode

→ Diabète
http://www.phac-aspc.gc.ca/cd-mc/publications/diabetes-diabete/facts-figures-faits-chiffres-2011/chap1-fra.php#Prv3

→ Oméga-3
PubMed:

Am J Clin Nutr. 2012 Nov;96(5):1137-49. doi: 10.3945/ajcn.112.037432. Epub 2012 Oct 3.

Long-chain n-3 PUFAs reduce adipose tissue and systemic inflammation in severely obese nondiabetic patients: a randomized controlled trial.
Itariu BK1, Zeyda M, Hochbrugger EE, Neuhofer A, Prager G, Schindler K, Bohdjalian A, Mascher D, Vangala S, Schranz M, Krebs M, Bischof MG, Stulnig TM

À l'intention des végétariens

→ Soya
Source: Doerge, D. R., et al., Goitrogenic and Estrogenic Activity of Soy Isoflavones, Environmental Health Perspectives, 2002; 100 (3): 349-353. Conrad, S.C., et al., Soy Formula Complicates Management of Congenital Hypothyroidism, Archives od Diseases in Childhood, 2004; 89: 37-40.

→ Soya fermenté
Source: http://fr.m.wikipedia.org/wiki/Soja

Autres ouvrages consultés

→ Principes d'anatomie et de physiologie, nouvelle édition
  Gerard J. Tortora/Sandra Reynolds Grabowski
  Jean-Claude Parent/Édition Collégiale et Universitaire

→ Immunologie Générale
  Jean-Pierre Regnault/Décarie Éditeur Inc.

→ Encyclopédie des Plantes médicinales
  Andrew Chevalier/Selection Reader's Digest Montréal

→ Physiologie de l'activité Physique
  Énergie, nutrition et performance
  W.D. Mc Ardle/F. Katch/V. Katch/Edition Vigot

→ The Maker's Diet
  Jordans S. Rubin/Edition Siloam

→ La nutrition
  William L. Scheider/McGraw-Hill, Éditeurs

→ Le Guide des bons Gras
  Renée Frappier/Danielle Gosselin/
  Les Éditions Asclépiade Inc.

→ Nutrient Timing
  John Ivy, Ph.D./Robert Portman, Ph.D./Basic Health publications Inc.